#홈스쿨링
#초등 영어 독해 기초력

똑똑한
하루
Reading

똑똑한 하루 Reading
시리즈 구성 Level 1~4

Level 1 Ⓐ, Ⓑ
3학년 영어

Level 2 Ⓐ, Ⓑ
4학년 영어

Level 3 Ⓐ, Ⓑ
5학년 영어

Level 4 Ⓐ, Ⓑ
6학년 영어

똑똑한 하루 Reading만의

똑똑한
부가 자료

책 속 부록

어휘 리스트

온라인 자료

QR

▷ QR코드를 스캔하여
편리하게 음원을
들으며 학습하세요.

추가 활동지

▷ 다양한 추가 활동지를
book.chunjae.co.kr
에서 다운 받으세요.

똑똑한
하루
Reading

4주 완성 스케줄표

⭐ 공부한 날짜를 써 봐!

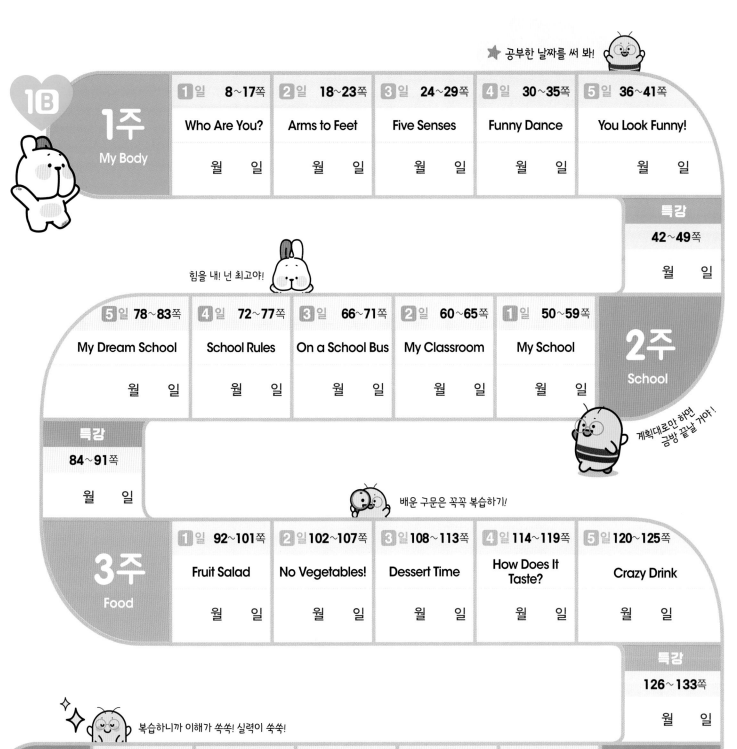

1B

1주 My Body

1일 8~17쪽	2일 18~23쪽	3일 24~29쪽	4일 30~35쪽	5일 36~41쪽
Who Are You?	Arms to Feet	Five Senses	Funny Dance	You Look Funny!
월 일	월 일	월 일	월 일	월 일

특강
42~49쪽
월   일

힘을 내! 넌 최고야!

2주 School

5일 78~83쪽	4일 72~77쪽	3일 66~71쪽	2일 60~65쪽	1일 50~59쪽
My Dream School	School Rules	On a School Bus	My Classroom	My School
월 일	월 일	월 일	월 일	월 일

특강
84~91쪽
월   일

계획대로만 하면 금방 끝날 거야!

배운 구문은 꼭꼭 복습하기!

3주 Food

1일 92~101쪽	2일 102~107쪽	3일 108~113쪽	4일 114~119쪽	5일 120~125쪽
Fruit Salad	No Vegetables!	Dessert Time	How Does It Taste?	Crazy Drink
월 일	월 일	월 일	월 일	월 일

특강
126~133쪽
월   일

복습하니까 이해가 쏙쏙! 실력이 쑥쑥!

4주 Animals

특강	5일 162~167쪽	4일 156~161쪽	3일 150~155쪽	2일 144~149쪽	1일 134~143쪽
168~175쪽	Animal Picnic	Penguins Can't Fly	In the Sea	At the Farm	In the Zoo
월 일	월 일	월 일	월 일	월 일	월 일

똑똑한 하루 Reading

똑똑한 QR 사용법

QR 음원 편리하게 듣기

1. 표지의 QR 코드를 찍어
   리스트형으로 모아 듣기

2. 교재의 QR 코드를 찍어 바로 듣기

편하고 똑똑하게!

Chunjae
Makes
Chunjae

똑똑한 하루 Reading 1B

편집개발	신원경, 정다혜, 박영미, 이지은
디자인총괄	김희정
표지디자인	윤순미, 이주영
내지디자인	박희춘, 이혜미
제작	황성진, 조규영

발행일	2021년 11월 15일 초판 2022년 10월 1일 2쇄
발행인	(주)천재교육
주소	서울시 금천구 가산로9길 54
신고번호	제2001-000018호
고객센터	1577-0902

똑 똑 한

하루
Reading

3학년 영어

1 B

똑똑한 하루 Reading ★ **LEVEL 1 B** ★

구성과 활용 방법

한 주 미리보기

미리보기 만화

미리보기 활동

- 재미있는 만화를 읽으며 이번 주에 공부할 내용을 생각해 보세요.
- 간단한 활동을 하며 이번 주에 배울 단어와 구문을 알아보세요.

step 1

- 재미있는 만화를 읽으며 오늘 읽을 글의 내용을 생각해 보세요.
- QR 코드를 찍어 새로 배울 단어나 어구를 듣고 써 보세요.

step 2

- 짧고 쉬운 글을 읽고 글의 주제를 알아보고 주요 구문을 익혀 보세요.
- QR 코드를 찍어 글을 듣고 한 문장씩 따라 읽어 보세요.
- 문제를 풀어 보며 글을 잘 이해했는지 확인해 보세요.

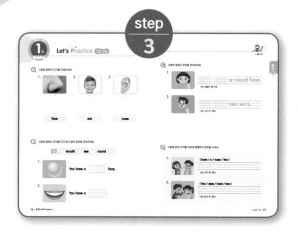

다양한 활동을 하며 오늘 배운 단어와
주요 구문을 복습해 보세요.

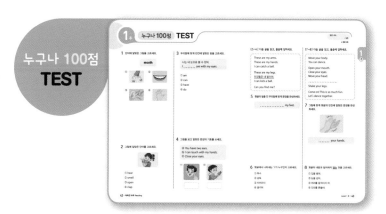

문제를 풀어 보며 한 주 동안 배운 내용을 얼마나
잘 이해했는지 확인해 보세요.

Brain Game Zone

한 주 동안 배운 내용을 창의·사고력 게임으로
재미는 두 배, 사고력은 UP!

말판 놀이

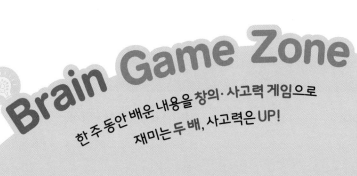

창의·사고력 게임

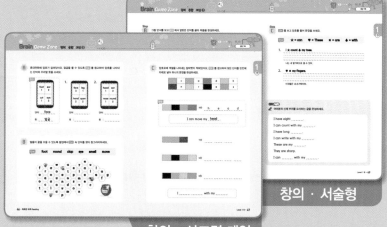

창의·서술형

똑똑한 하루 Reading **공부할 내용**

1주
My Body

일	단원명	주제	구문	쪽수
1일	Who Are You?	얼굴	You have ~.	12
2일	Arms to Feet	몸	These are my ~.	18
3일	Five Senses	감각	I can ... with my ~.	24
4일	Funny Dance	신체 동작	일반동사 ~.	30
5일	You Look Funny!		1~4일 복습	36
특강	누구나 100점 TEST & **Brain Game Zone**			42

2주
School

일	단원명	주제	구문	쪽수
1일	My School	학교 장소	It has+형용사+명사.	54
2일	My Classroom	교실	There is ~.	60
3일	On a School Bus	학생 · 선생님	There are ~.	66
4일	School Rules	학교 규칙	We+일반동사 ~.	72
5일	My Dream School		1~4일 복습	78
특강	누구나 100점 TEST & **Brain Game Zone**			84

3주

Food

일	단원명	주제	구문	쪽수
1일	Fruit Salad	과일	Do you like ~?	96
2일	No vegetables!	채소	I don't like ~.	102
3일	Dessert Time	디저트	I want some ~.	108
4일	How Does It Taste?	음식의 맛	It is+형용사.	114
5일	Crazy Drink		1~4일 복습	120
특강	누구나 100점 TEST & **Brain Game Zone**			126

4주

Animals

일	단원명	주제	구문	쪽수
1일	In the Zoo	동물원	Look at the+복수명사. They are+형용사.	138
2일	At the Farm	농장 동물	주어+be동사 +동사원형ing.	144
3일	In the Sea	바다 동물	Is it a ~?	150
4일	Penguins Can't Fly	동물의 특징	주어+can/can't ~.	156
5일	Animal Picnic		1~4일 복습	162
특강	누구나 100점 TEST & **Brain Game Zone**			168

하루 구문 미리보기

💜 문장을 이루는 것에는 무엇이 있는지 미리 알아볼까요?

주어

동사가 나타내는 동작이나 상태의 주체를 말해요.

I like pizza. 나는 피자를 좋아해.
주어 동사

동사

주어의 동작이나 상태를 나타내는 말이에요.

They play together. 그들은 함께 놀아.
주어 동사

목적어

동사가 나타내는 동작의 대상이 되는 말이에요.

She reads books. 그녀는 책을 읽어.
동사 목적어

보어

주어를 보충해서 설명하는 말이에요.

He is kind. 그는 친절해.
주어 보어

함께 공부할 친구들

로아 ▶ 척척박사
쌍둥이 누나

로운 ▶ 크리에이터를 꿈꾸는
말썽꾸러기 쌍둥이 동생

캐미 ▶ 쌍둥이의 영상을 찍어주는
토끼 카메라

책책이 ▶ 책으로 된 날개를 가진 개구쟁이 새

1주에는 무엇을 공부할까? ❶

📦 재미있는 이야기로 이번 주에 공부할 내용을 알아보세요.

My Body 나의 몸

1일 Who Are You?　**2**일 Arms to Feet　**3**일 Five Senses

4일 Funny Dance　**5**일 You Look Funny!

A

◉ 여러분이 가장 중요하다고 생각하는 신체 부위에 모두 동그라미 해 보세요.

These are my ~. 이것들은 내 ~야.

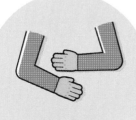

arms

hands

eyes

legs

feet

ears

◉ 다음 감각을 느끼는데 필요한 신체 부위를 우리말로 써 보세요.

> **I can ~ with my + 신체 부위.** 나는 내 …로 ~할 수 있어.

see

smell

hear

taste

touch

예시 답 ▶ 손 '혀 '귀 '코 '눈

Who Are You?

너는 누구니?

얼굴

재미있는 이야기로 오늘 읽을 글의 내용을 생각해 보세요.

New Words 오늘 배울 단어를 듣고 써 보세요.

face 얼굴

eye 눈

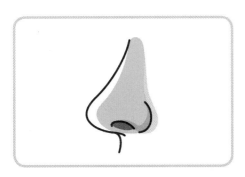

nose 코

mouth 입

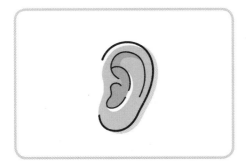

ear 귀

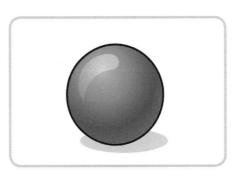

round 둥근

Who Are You?

Q 남자아이가 묘사하고 있는 사람은 누구일까요?

You have a round face.

You have two eyes.

You have a nose.

You have a mouth.

You have two ears.

You are handsome.

Who are you?

Oh, you are me.

하루 구문

You have ~. 너는 ~을 가지고 있어.

상대방이 소유하고 있는 것을 나타내는 표현이에요. 내가 소유하고 있는 것은 「I have~.」로 나타내요.

물건을 가지고 있을 때 뿐 아니라 신체 부위를 설명할 때도 동사 have(가지다)를 써요.

Let's Check

▶정답 1쪽

 글의 내용과 일치하도록 괄호 안에서 알맞은 것을 골라 동그라미 하세요.

1. The boy has a round (face / nose).

2. The boy has two (mouths / eyes).

 그림에 알맞은 문장을 연결하세요.

1.    •   • You are handsome.

2.    •   • You have a mouth.

3.    •   • You have two ears.

Let's Practice 집중 연습

 그림에 알맞은 단어를 연결하세요.

1.

2.

3.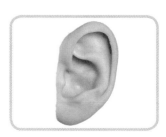

face

ear

nose

B 그림에 알맞은 단어를 보기 에서 골라 문장을 완성하세요.

보기   mouth   eye   round

1.

You have a _____ face.

2.

You have a _____ .

C 그림에 알맞은 문장을 완성하세요.

1.

_____ a round face.

너는 얼굴이 동그래.

2.

_____ two ears.

너는 귀가 두 개야.

D 그림에 맞게 단어를 바르게 배열하여 문장을 쓰세요.

1.

(have / a / nose / You)

너는 코가 한 개야.

2.

(You / eyes / have / two)

너는 눈이 두 개야.

팔에서 발까지   몸

Arms to Feet

재미있는 이야기로 오늘 읽을 글의 내용을 생각해 보세요.

New Words 오늘 배울 단어를 듣고 써 보세요.

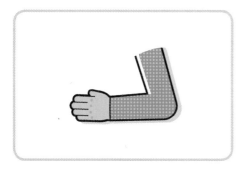

arm 팔

hand 손

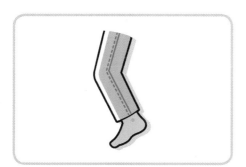

leg 다리

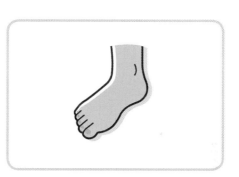

foot 발

catch 잡다

kick 차다

Arms to Feet

Q 그림 속 축구를 하는 아이들 중 누구에 대한 설명일까요?

These are my arms.

These are my hands.

I can catch a ball.

These are my legs.

These are my feet.

I can kick a ball.

Can you find me?

하루 구문

These are my ~. 이것들은 내 ~야.

짝을 이루는 신체 부위를 나타내는 표현이에요. 양팔, 양손, 양다리, 양발 등은 복수 형태로 써요.

미국식 영어로 soccer는 축구, football은 미식축구를 말해요.

Let's Check

▶정답 2쪽

A 글의 내용과 일치하도록 빈칸에 알맞은 것을 고르세요.

1. The girl can catch a _____.

   ⓐ book   ⓑ ball   ⓒ doll

2. The girl can kick a ball with her _____.

   ⓐ feet   ⓑ arms   ⓒ hands

B 그림에 알맞은 문장을 연결하세요.

1.    •   •   These are my hands.

2. 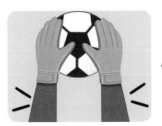   •   •   These are my feet.

3.    •   •   These are my arms.

Let's Practice 집중 연습

A 그림에 알맞은 단어를 연결하세요.

1.

2.

3.

arm

kick

hand

B 그림에 알맞은 단어를 보기 에서 골라 문장을 완성하세요.

보기   foot   catch   leg

1.    These are my _____s.

2.    I can _____ a ball.

C 그림에 알맞은 문장을 완성하세요.

1.

　　　　　　my hands.

이것들은 내 손이야.

2.

　　　　　　my arms.

이것들은 내 팔이야.

D 그림에 맞게 단어를 바르게 배열하여 문장을 쓰세요.

1.

(my / feet / are / These)

이것들은 내 발이야.

2.

(are / These / legs / my)

이것들은 내 다리야.

3일
Reading

다섯 가지 감각   감각

Five Senses

🎁 **재미있는 이야기로 오늘 읽을 글의 내용을 생각해 보세요.**

New Words　오늘 배울 단어를 듣고 써 보세요.

see 보다

smell 냄새를 맡다

hear 듣다

taste 맛을 보다

touch 만지다

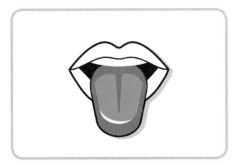

tongue 혀

Five Senses

Q 각 신체 부위는 어떤 감각을 느낄 수 있을까요?

I can see with my eyes.

I can smell with my nose.

I can hear with my ears.

I can taste with my tongue.

I can touch with my hands.

My body parts are important.

하루 구문

I can ... with my ~. 나는 내 ~로 …할 수 있어.

신체 부위로 할 수 있는 행동을 나타내는 표현이에요. can은 '~할 수 있다'의 뜻을 나타내는 조동사예요.

five senses는 우리가 오감이라고 부르는 시각, 후각, 청각, 미각, 촉각을 말해요.

Let's Check

▶정답 3쪽

 글의 내용과 일치하도록 괄호 안에서 알맞은 것을 골라 동그라미 하세요.

1. The boy can see with his (ears / eyes).

2. The boy can (taste / hear) with his tongue.

B 그림에 알맞은 문장을 연결하세요.

1.

•

• I can smell with my nose.

2.

•

• I can hear with my ears.

3.

•

• I can touch with my hands.

Let's Practice 집중 연습

 그림에 알맞은 단어를 연결하세요.

1.

2.

3.

see

smell

taste

B 그림에 알맞은 단어를 보기 에서 골라 문장을 완성하세요.

보기   touch   hear   tongue

1.

I can _____ with my hands.

2.

I can _____ with my ears.

C 그림에 알맞은 문장을 완성하세요.

1.

I ☐ ☐ ☐ my tongue.

나는 내 혀로 맛을 볼 수 있어.

2.

I ☐ ☐ ☐ my eyes.

나는 내 눈으로 볼 수 있어.

D 그림에 맞게 단어나 어구를 바르게 배열하여 문장을 쓰세요.

1.

(can / I / with my hands / touch)

나는 내 손으로 만질 수 있어.

2.

(with my nose / smell / can / I)

나는 내 코로 냄새를 맡을 수 있어.

재미있는 춤

신체 동작

Funny Dance

📦 **재미있는 이야기로 오늘 읽을 글의 내용을 생각해 보세요.**

New Words 오늘 배울 단어를 듣고 써 보세요.

move 움직이다

open (눈을) 뜨다, 열다

close (눈을) 감다, 닫다

clap 손뼉 치다

shake 흔들다

head 머리

Funny Dance

Q 여자아이는 어떤 신체 부위를 이용해서 동작을 하고 있나요?

Move your body.
You can dance.
Open your mouth.
Close your eyes.

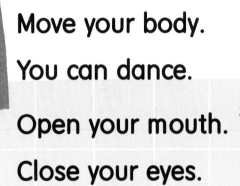

Move your head.
Clap your hands.
Shake your legs.

Come on!
This is so much fun.
Let's dance together.

 하루 구문

일반동사 ~. ~을 해.

상대방에게 어떤 행동을 명령하거나 지시하는 표현이에요. 주어인 You 를 생략하고 동사의 원형으로 문장을 시작해요.

나라별로 전통춤이 있어요.
우리나라는 부채춤, 하와이는 훌라춤,
아르헨티나는 탱고가 유명해요.

Let's Check

▶정답 4쪽

 글의 내용과 일치하도록 괄호 안에서 알맞은 것을 골라 동그라미 하세요.

1. The girl says, "(Clap / Close) your eyes."

2. The girl says, "(Shake / Open) your legs."

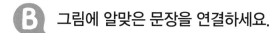 그림에 알맞은 문장을 연결하세요.

1.

Open your mouth.

2.

Clap your hands.

3.

Move your head.

Let's Practice 집중 연습

 그림에 알맞은 단어를 연결하세요.

1.

2.

3.

open

head

clap

B 그림에 알맞은 단어를 보기 에서 골라 문장을 완성하세요.

보기   Close   Shake   Move

1.  ＿＿＿＿＿ your body.

2.  ＿＿＿＿＿ your eyes.

C 그림에 알맞은 문장을 완성하세요.

1.
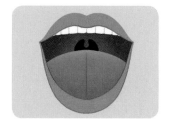

your mouth.

입을 벌려.

2.

your legs.

다리를 흔들어.

D 그림에 맞게 단어를 바르게 배열하여 문장을 쓰세요.

1.

(Move / head / your)

머리를 움직여.

2.

(your / Clap / hands)

손뼉을 쳐.

You Look Funny!
너 재밌게 생겼다!
1~4일 복습

🎁 **재미있는 이야기로 오늘 읽을 글의 내용을 생각해 보세요.**

New Words 오늘 배울 단어를 듣고 써 보세요.

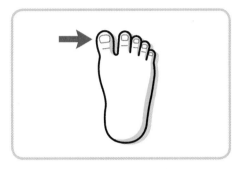

toe 발가락

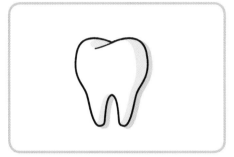

tooth 치아

finger 손가락

count 세다

1,2,3...

write 쓰다

cut 자르다

You Look Funny!

Q 몬스터는 어떤 신체 부위를 가지고 있을까요?

10

You have eight toes.

Yes, I can count with my toes.

You have long teeth.

Yes, I can write with my teeth.

These are my fingers.

They are sharp.

Cut this paper for me, please.

하루 구문 복습!

You have ~.
너는 ~을 가지고 있어.

I can ... with my ~.
나는 내 ~로 …할 수 있어.

These are my ~.
이것들은 내 ~야.

일반동사 ~.
~을 해.

Let's Check

▶정답 5쪽

A 글의 내용과 일치하도록 빈칸에 알맞은 것을 고르세요.

1. The monster has long _____.

   ⓐ teeth   ⓑ toes   ⓒ fingers

2. The monster can _____ with his fingers.

   ⓐ write   ⓑ cut   ⓒ count

B 그림에 알맞은 문장을 연결하세요.

1.    You have eight toes.

2.    I can write with my teeth.

3.    These are my fingers.

A 그림에 알맞은 단어를 연결하세요.

1.

2.
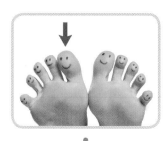

3.

toe

tooth

cut

B 그림에 알맞은 단어를 보기 에서 골라 문장을 완성하세요.

보기　　count　　finger　　write

1.
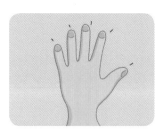

These are my _____s.

2.

I can _____ with my teeth.

C 그림에 알맞은 문장을 완성하세요.

1.

_____ _____ long teeth.

너는 이가 길어.

2.

_____ this paper for me.

날 위해 이 종이를 잘라 줘.

D 그림에 맞게 단어나 어구를 바르게 배열하여 문장을 쓰세요.

1.

(I / with my toes / count / can)

나는 발가락으로 수를 셀 수 있어.

2.

(are / These / fingers / my)

이건 내 손가락이야.

1 단어에 알맞은 그림을 고르세요.

mouth

①
②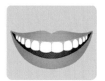
③
④

2 그림에 알맞은 단어를 고르세요.

① hear
② smell
③ open
④ clap

3 우리말에 맞게 빈칸에 알맞은 말을 고르세요.

나는 내 눈으로 볼 수 있어.
I _____ see with my eyes.

① am
② can
③ have
④ do

4 그림을 보고 알맞은 문장의 기호를 쓰세요.

ⓐ You have two ears.
ⓑ I can touch with my hands.
ⓒ Close your eyes.

(1) 　(2)

[5~6] 다음 글을 읽고, 물음에 답하세요.

These are my arms.
These are my hands.
I can catch a ball.

These are my legs.
이것들은 내 발이야.
I can kick a ball.

Can you find me?

5 윗글의 밑줄 친 우리말에 맞게 문장을 완성하세요.

_____ _____ my feet.

6 윗글에서 나타내는 'I'가 누구인지 고르세요.

① 투수

② 감독

③ 치어리더

④ 골키퍼

[7~8] 다음 글을 읽고, 물음에 답하세요.

Move your body.
You can dance.

Open your mouth.
Close your eyes.
Move your head.

_____

Shake your legs.

Come on! This is so much fun.
Let's dance together.

7 그림에 맞게 윗글의 빈칸에 알맞은 문장을 완성하세요.

_____ your hands.

8 윗글의 내용과 일치하지 <u>않는</u> 것을 고르세요.

① 입을 벌려.

② 눈을 감아.

③ 머리를 움직이지 마.

④ 다리를 흔들어.

🧩 배운 내용을 떠올리며 말판 놀이를 해 보세요.

START

1. 그림을 보고 알맞은 단어에 동그라미 하세요.

arm   leg

2. 그림에 알맞은 단어를 완성하세요.

c ☐ t ☐ h

3. 단어를 읽고 알맞은 우리말 뜻과 연결하세요.

close •   • 움직이다

move •   • (눈을) 감다

4. 그림을 보고 알파벳을 바르게 배열하여 단어를 쓰세요.

ifgnre

→ _____

5. 그림과 단어가 일치하면 ○ 표, 일치하지 않으면 × 표 하세요.

cut ☐

6. 문장을 읽고 알맞은 그림에 동그라미 하세요.

I can smell with my nose.

우리말에 맞게 문장을 완성하세요.

다리를 흔들어.

_____ your legs.

8. 우리말에 알맞은 문장에 ✓ 표 하세요.

너는 발가락이 여덟 개야.

You have eight toes. ☐

You have long teeth. ☐

9. 그림과 문장이 일치하면 ○ 표, 일치하지 않으면 ✕ 표 하세요.

These are my hands. ☐

10. 우리말에 맞게 단어나 어구를 바르게 배열하여 문장을 쓰세요.

날 위해 이 종이를 잘라 줘.

(Cut / for me / this / paper)

➡ _____

FINISH

A 휴대전화에 암호가 걸려있어요. 잠금을 풀 수 있도록 힌트 를 참고하여 암호를 나타내는 단어와 우리말 뜻을 쓰세요.

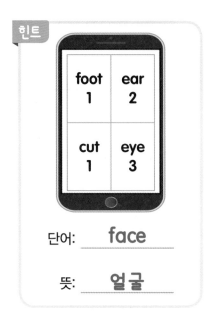

힌트

foot 1	ear 2
cut 1	eye 3

단어: **face**

뜻: **얼굴**

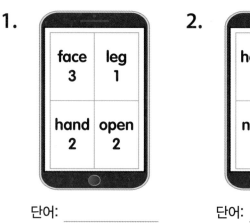

1.

face 3	leg 1
hand 2	open 2

단어: _____

뜻: _____

2.

head 1	ear 2
nose 1	round 5

단어: _____

뜻: _____

B 벌들이 꿀을 모을 수 있도록 벌집에서 단서 속 단어를 찾아 동그라미 하세요.

단서   foot   round   clap   eye   smell   move

C 암호표에 색깔을 나타내는 알파벳이 적혀있어요. 힌트 를 참고하여 찾은 단어를 빈칸에 차례로 넣어 하나의 문장을 완성하세요.

	c		a		d		h
	n		r		e		s

힌트

 ➡ h e a d

I can move my __head__ .

 ➡ ____ ____ ____

 ➡ ____ ____ ____

I _____ _____ with my _____ .

Step
A

그림 단서를 보고 보기 에서 알맞은 단어를 골라 퍼즐을 완성하세요.

보기   count   toe   finger   write

❶
❷
❸
❹

Step
B

Step A 의 단어를 사용하여 글을 완성하세요.

You have eight _____s.

Yes, I can _____ with my toes.

You have long teeth.

Yes, I can _____ with my teeth.

These are my _____s.

They are sharp.

Cut this paper for me, please.

Step C

 를 보고 암호를 풀어 문장을 쓰세요.

단서   ★ = can   ♥ = These   ※ = are   ♠ = with

1.   I ★ count ♠ my toes.

나는 발가락으로 수를 셀 수 있어.

2.   ♥ ※ my fingers.

이건 내 손가락이야.

창의 서술형

✏ 여러분이 몬스터라고 상상하며 신체 부위를 묘사하는 글을 완성하세요.

I have eight _____.

I can count with my _____.

I have long _____.

I can write with my _____.

These are my _____.

They are sharp.

I can _____ with my _____.

2주에는 무엇을 공부할까? ①

재미있는 이야기로 이번 주에 공부할 내용을 알아보세요.

School 학교

1일 My School

2일 My Classroom

3일 On a School Bus

4일 School Rules

5일 My Dream School

2주차 공부할 내용

● 여러분 학교에 있는 장소에 모두 동그라미 해 보세요.

It has a nice ~. 그것은 멋진 ~을 가지고 있어.

classroom

art room

computer room

gym

playground

pool

◉ 여러분 교실에 있는 다음 물건의 모양에 연결해 보세요.

There is a ~. ～이 있어.

① calendar

② mirror

③ ruler

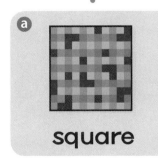

ⓐ square

ⓑ triangle

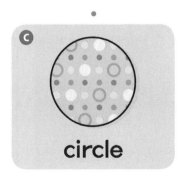

ⓒ circle

우리 학교   학교 장소

My School

재미있는 이야기로 오늘 읽을 글의 내용을 생각해 보세요.

New Words 오늘 배울 단어를 듣고 써 보세요.

classroom 교실

art room 미술실

gym 체육관

playground 운동장

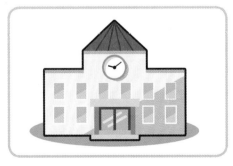

school 학교

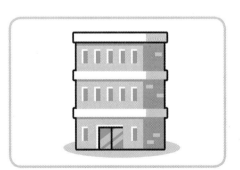

building 건물

My School

학교에는 어떤 장소들이 있을까요?

This is my school.

It is a big building.

It has many classrooms.

It has a nice art room.

It has a small gym.

It has a big playground.

I love my school.

 하루 구문

It has + 형용사 + 명사. 그것은 ~한 …을 가지고 있어.

사물이 무엇을 가지고 있는지를 나타내는 표현이에요. 형용사는 명사 앞에서 그 명사가 어떠한지 설명해 줘요.

체육관을 의미하는 gym은 gymnasium을 줄인 말이에요.

Let's Check

▶ 정답 8쪽

 문장을 읽고 글의 내용과 일치하면 T, 일치하지 않으면 F에 동그라미 하세요.

1. The school is big.

2. The school has many classrooms.

3. The school has a small playground.

2
주

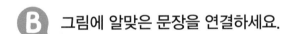 그림에 알맞은 문장을 연결하세요.

1.

This is my school.

2.

It has a nice art room.

3.

It has a small gym.

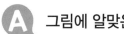 그림에 알맞은 단어를 연결하세요.

1.

2.

3.

gym   school   art room

B 그림에 알맞은 단어를 보기 에서 골라 문장을 완성하세요.

보기   playground   classroom   building

1.

It is a big _____ .

2.

It has many _____s.

C 그림에 알맞은 문장을 완성하세요.

1.

_____ a nice art room.

그곳에는 멋진 미술실이 있어.

2.

_____ a small gym.

그곳에는 작은 체육관이 있어.

D 그림에 맞게 단어나 어구를 바르게 배열하여 문장을 쓰세요.

1.

(It / many / classrooms / has)

_____

그곳에는 교실이 아주 많아.

2.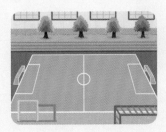

(big / It has / a / playground)

_____

그곳에는 큰 운동장이 있어.

우리 교실

교실

My Classroom

🗃 재미있는 이야기로 오늘 읽을 글의 내용을 생각해 보세요.

New Words 오늘 배울 단어를 듣고 써 보세요.

calendar 달력

mirror 거울

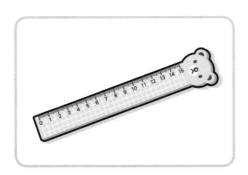

ruler 자

square 정사각형

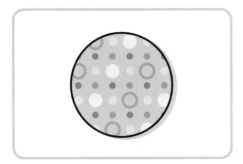

circle 원

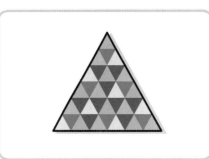

triangle 삼각형

My Classroom

 교실에서 어떤 도형을 찾을 수 있을까요?

This is my classroom.

Let's find the shapes.

There is a calendar.

It is a square.

There is a mirror.

It is a circle.

There is a ruler.

It is a triangle.

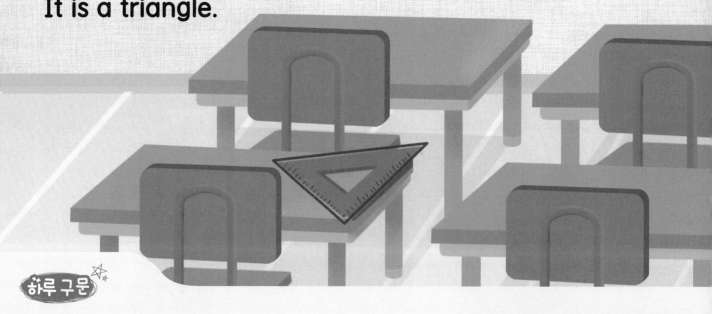

하루 구문

There is ~. ～이 있어.

사람이나 물건이 있다는 것을 말하는 표현이에요. 「There is~」 구문
다음에는 명사의 단수 형태가 와요.

> 정사각형은 square,
> 마름모는 diamond라고 해요.

Let's Check

▶정답 9쪽

A 글의 내용과 일치하도록 빈칸에 알맞은 것을 고르세요.

2주

1. A _____ is a square.

   ⓐ calendar   ⓑ ruler   ⓒ mirror

2. The ruler is in the _____.

   ⓐ playground   ⓑ classroom   ⓒ gym

B 그림에 알맞은 문장을 연결하세요.

1. 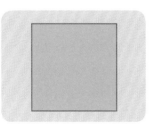 •

   • There is a mirror.

2.  •

   • There is a ruler.

3.  •

   • It is a square.

Let's Practice 집중 연습

 A 그림에 알맞은 단어를 연결하세요.

1.

2.

3.

ruler

square

triangle

B 그림에 알맞은 단어를 보기 에서 골라 문장을 완성하세요.

보기 circle   mirror   calendar

1.    There is a _____ .

2.    There is a _____ .

▶정답 9쪽

C 그림에 알맞은 문장을 완성하세요.

1.

_____ a ruler.

자가 있어.

2.

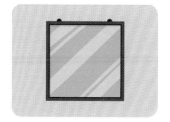

_____ a mirror.

거울이 있어.

D 그림에 맞게 단어를 바르게 배열하여 문장을 쓰세요.

1.

(is / a / There / calendar)

_____

달력이 있어.

2.

(a / There / is / ruler)

_____

자가 있어.

스쿨버스에

학생·선생님

On a School Bus

📦 **재미있는 이야기로 오늘 읽을 글의 내용을 생각해 보세요.**

여러분! 오늘은 버스를 타고 현장학습 가는 날이에요. 지금은 휴게소에서 잠시 쉬고 있어요.

저게 우리 반 버스예요.

버스에 기사님이 한 분 계시고 저희 담임선생님이 계세요.

로운아. 모두 버스에 탔는지 인원 체크 좀 해 줄래?

네, 선생님.

하나, 둘, 셋…. 남학생이 저까지 여섯 명 있네요. 여학생은 여덟 명 있어요.

우리 반 학생이 총 열네 명이니 전부 버스에 탔네요. 선생님, 출발해도 되겠어요.

6+8=14

기다려! 나 아직 안 탔단 말이야!

부~웅

New Words
오늘 배울 단어를 듣고 써 보세요.

student 학생

boy 남자아이

girl 여자아이

bus 버스

driver 운전사

teacher 선생님

On a School Bus

 Q 스쿨버스 안에 누가 타고 있을까요?

Look at the school bus.

There is a bus driver.

There is a teacher.

There are fourteen students.

There are six boys.

How many girls?

$$14 - 🧑🧑🧑🧑🧑🧑 = ?$$

That is right.

There are eight girls.

 **하루 구문**

There are ~. ~들이 있어.

여러 사람이나 물건이 있다는 것을 말하는 표현이에요. 「There are ~.」
다음에는 명사의 복수 형태가 와요.

> 우리나라는 걸어갈 수 있는 거리에
> 학교가 있지만 미국은 그렇지 않아서
> 학교마다 노란 스쿨버스가 있어요.

Let's Check

▶정답 10쪽

 글의 내용과 일치하도록 괄호 안에서 알맞은 것을 골라 동그라미 하세요.

2
주

1. There are fourteen (students / teachers).

2. There are six (girls / boys).

 그림에 알맞은 문장을 연결하세요.

1.

There is a bus driver.

2.

Look at the school bus.

3.

There are eight girls.

Let's Practice 집중 연습

A 그림에 알맞은 단어를 연결하세요.

1.

2.

3.

teacher

student

bus

B 그림에 알맞은 단어를 보기 에서 골라 문장을 완성하세요.

보기   girl   driver   boy

1.

There are eight ＿＿＿＿＿＿s.

2.

There are six ＿＿＿＿＿＿s.

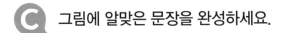
C 그림에 알맞은 문장을 완성하세요.

1.

_____ eight girls.

여자아이가 8명 있어.

2.

_____ six boys.

남자아이가 6명 있어.

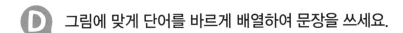
D 그림에 맞게 단어를 바르게 배열하여 문장을 쓰세요.

1.

(eight / girls / There / are)

_____

여자아이가 8명 있어.

2.

(fourteen / There / are / students)

_____

학생이 14명 있어.

학교 규칙

학교 규칙

School Rules

📦 **재미있는 이야기로 오늘 읽을 글의 내용을 생각해 보세요.**

New Words 오늘 배울 단어를 듣고 써 보세요.

7

talk 말하다

help 돕다

listen 듣다

raise (손을) 들다

say 말하다

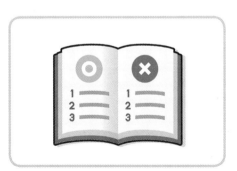

rule 규칙

School Rules

Q 학교에는 어떤 규칙들이 있을까요?

Please

Thank you.

We follow the school rules.

We talk quietly.

We play safely.

We help each other.

We listen to the teachers.

We raise our hand to speak.

We say please and thank you.

하루 구문

We + 일반동사 ~. 우리는 ~해.

우리가 어떤 행동을 하는지 나타내는 표현이에요. We 다음에는 일반동사의 원형을 써요.

온라인 수업의 규칙은 비디오를 끄지 않기, 선생님 말씀 중에는 음소거 하기 등이 있어요.

Let's Check

▶정답 11쪽

 문장을 읽고 글의 내용과 일치하면 T, 일치하지 않으면 F에 동그라미 하세요.

1. The teachers talk quietly.

2. The students help each other.

3. The students say please and thank you.

B 그림에 알맞은 문장을 연결하세요.

1.

  •
  •   We listen to the teachers.

2.

  •
  •   We talk quietly.

3.

  •
  •   We raise our hand to speak.

Let's Practice 집중 연습

 그림에 알맞은 단어를 연결하세요.

1.

2.

3.

listen

talk

rule

B 그림에 알맞은 단어를 보기 에서 골라 문장을 완성하세요.

보기　say　help　raise

1.

We _____ each other.

2.

We _____ our hand to speak.

C 그림에 알맞은 문장을 완성하세요.

1.

_____ _____ _____ the rules.

우리는 규칙을 따라.

2.

_____ _____ safely.

우리는 안전하게 놀아.

D 그림에 맞게 단어나 어구를 바르게 배열하여 문장을 쓰세요.

1.

(please / and thank you / We / say)

_____

우리는 부탁해나 고마워라고 말해.

2.

(listen to / the / We / teachers)

_____

우리는 선생님 말씀을 들어.

내 꿈의 학교
My Dream School 1~4일 복습

📦 **재미있는 이야기로 오늘 읽을 글의 내용을 생각해 보세요.**

New Words 　오늘 배울 단어를 듣고 써 보세요.

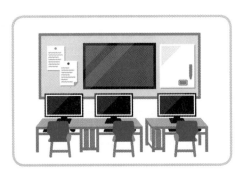

computer room 컴퓨터실

pool 수영장

cafeteria 급식실

game 게임

ice cream 아이스크림

hamburger 햄버거

My Dream School

 그림 속 꿈꾸는 학교에는 어떤 장소들이 있을까요?

Welcome to my school.

There is a big computer room.

We play computer games.

There are two pools.

We play in the water.

Look at the cafeteria.

It has everything.

We eat ice cream and

hamburgers.

It has + 형용사 + 명사.	**There is ~.**
그것은 ~한 …를 가지고 있어.	~이 있어.
There are ~.	**We + 일반동사 ~.**
~들이 있어.	우리는 ~해.

Let's Check

▶정답 12쪽

A 글의 내용과 일치하도록 빈칸에 알맞은 것을 고르세요.

1. The students _____ computer games.

   ⓐ play   ⓑ eat   ⓒ look

2. There are two _____.

   ⓐ cafeterias   ⓑ pools   ⓒ computer rooms

B 그림에 알맞은 문장을 연결하세요.

1.

   We play in the water.

2.

   There is a big computer room.

3.

   Look at the cafeteria.

Let's Practice 집중 연습

 A 그림에 알맞은 단어를 연결하세요.

1.

2.

3.

cafeteria · · · hamburger · · · ice cream

B 그림에 알맞은 단어를 보기에서 골라 문장을 완성하세요.

보기   computer room   pool   game

1.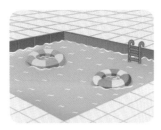

There are two _____s.

2.

We play computer _____s.

C 그림에 알맞은 문장을 완성하세요.

2
주

1.

_____ two pools.

수영장이 두 개 있어.

2.

_____ in the water.

우리는 물에서 놀아.

D 그림에 맞게 단어나 어구를 바르게 배열하여 문장을 쓰세요.

1.

(and hamburgers / We / eat / ice cream)

우리는 아이스크림과 햄버거를 먹어.

2.

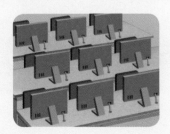

(a big / There / computer room / is)

커다란 컴퓨터실이 있어.

1 단어에 알맞은 그림을 고르세요.

mirror

① ②

③  ④

2 그림에 알맞은 단어를 고르세요.

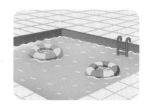

① gym
② playground
③ cafeteria
④ pool

3 우리말에 맞게 빈칸에 알맞은 말을 고르세요.

그것은 큰 운동장이 있어.
It _____ a big playground.

① is
② has
③ have
④ are

4 그림을 보고 알맞은 문장의 기호를 쓰세요.

ⓐ We play in the water.
ⓑ There is a ruler.
ⓒ There are six boys.

(1)  (2)

[5~6] 다음 글을 읽고, 물음에 답하세요.

This is my school.
<u>It</u> is a big building.

<u>It</u> has many classrooms.
<u>It</u> has a nice art room.
<u>학교에는 작은 체육관이 있어.</u>
<u>It</u> has a big playground.

I love my school.

5 윗글의 밑줄 친 우리말에 맞게 문장을 완성하세요.

_____ _____ a small gym.

6 윗글의 밑줄 친 It가 나타내는 것을 고르세요.

① 학교

② 운동장

③ 교실

④ 미술실

[7~8] 다음 글을 읽고, 물음에 답하세요.

_____
We talk quietly.
We play safely.
We help each other.
We listen to the teachers.
We raise our hand to speak.
We say please and thank you.

7 그림에 맞게 윗글의 빈칸에 알맞은 문장을 완성하세요.

_____ _____ the school rules.

8 윗글의 내용과 일치하지 <u>않는</u> 것을 고르세요.

① 우리는 조용히 말해.

② 우리는 안전하게 놀아.

③ 우리는 손뼉을 치며 말해.

④ 우리는 부탁해나 고마워라고 말해.

2
주

배운 내용을 떠올리며 말판 놀이를 해 보세요.

1. 그림을 보고 알맞은 단어에 동그라미 하세요.

square   circle

2. 그림에 알맞은 단어를 완성하세요.

c ☐ l ☐ n ☐ ar

3. 단어를 읽고 알맞은 우리말 뜻과 연결하세요.

talk ·   · 말하다

help ·   · 돕다

4. 그림을 보고 알파벳을 바르게 배열하여 단어를 쓰세요.

rivder

→ _____

5. 문장을 읽고 알맞은 그림에 동그라미 하세요.

There is a ruler.

6. 그림과 단어가 일치하면 ○ 표, 일치하지 않으면 × 표 하세요.

student ☐

9. 그림과 문장이 일치하면 ○ 표, 일치하지 않으면 × 표 하세요.

We play safely. ☐

10. 우리말에 맞게 단어나 어구를 바르게 배열하여 문장을 쓰세요.

우리는 부탁해나 고마워라고 말해.

(and / thank you / say please / We)

→ _____

우리말에 맞게 문장을 완성하세요.

그것은 멋진 미술실이 있어.

_____ _____ a nice art room.

8. 우리말에 알맞은 문장에 ✔ 표 하세요.

여자아이가 8명 있어.

There are eight girls. ☐

There are six boys. ☐

FINISH

A 캐미가 자물쇠의 비밀번호를 찾고 있어요. 도형의 꼭짓점 개수에 해당하는 숫자를 쓰고, 숫자를 차례대로 조합하여 비밀번호가 나타내는 단어를 쓰세요.

꼭짓점 수: __4__   꼭짓점 수: _____   꼭짓점 수: _____   꼭짓점 수: _____

1	2	3	4
y	n	m	g
5	6	7	8
e	h	j	a

단어: | g | | | |

B 세 친구가 학교에 가는 길이에요. 단서 를 보고 그림에 알맞은 단어를 찾으며 학교 가는 길을 표시하세요.

단서

출발 →

s	q	l	m
t	u	e	z
b	a	r	e

 도착

출발 →

d	r	u	k
e	i	v	z
x	c	e	r

 도착

출발 →

l	i	j	h
k	s	t	e
a	t	b	n

 도착

C 헨젤과 그레텔이 과자 조각을 따라 집으로 가고 있어요. 힌트 를 참고하여 빈칸을 채워 단어를 만든 후, 원하는 단어로 문장을 완성하세요.

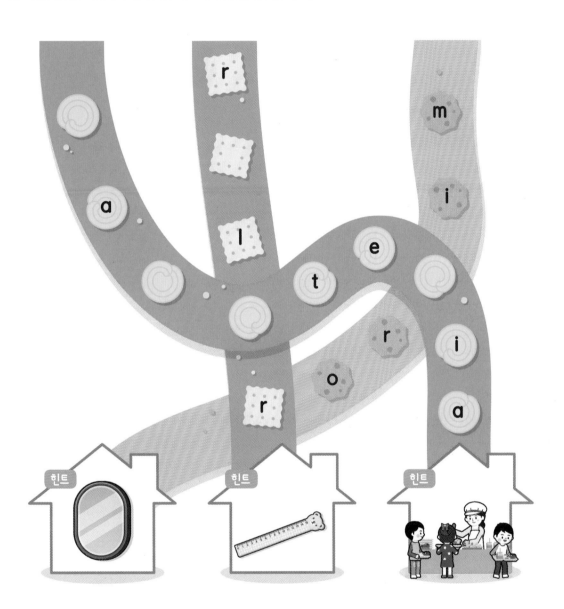

There is a _____.

Step A

그림 단서를 보고 보기 에서 알맞은 단어를 골라 퍼즐을 완성하세요.

보기   cafeteria   game   ice cream

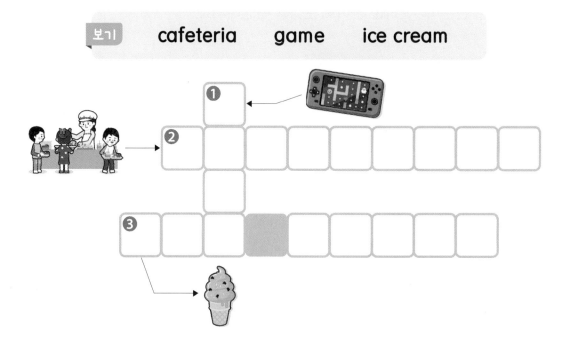

Step B

Step A 의 단어를 사용하여 글을 완성하세요.

Welcome to my school.

There is a big computer room.

We play computer _____s.

There are two pools.

We play in the water.

Look at the _____.

It has everything.

We eat _____ and hamburgers.

Step C 단서 를 보고 암호를 풀어 문장을 쓰세요.

> 단서 ★ = There   ◎ = We   ▼ = play   ♠ = are

1. ★ ♠ two pools.

_____

- -

_____

수영장이 두 개 있어.

2. ◎ ▼ computer games.

_____

- -

_____

우리는 컴퓨터 게임을 해.

창의 서술형

✎ 여러분이 상상하는 학교에 대해 묘사하는 글을 완성하세요.

Welcome to my school.

There is a nice _____.

We _____.

There are two _____.

We _____.

Look at the cafeteria.

It has everything.

We eat _____ and _____.

3주

3주에는 무엇을 공부할까? ❶

재미있는 이야기로 이번 주에 공부할 내용을 알아보세요.

Food 음식

1일 **Fruit Salad** 2일 **No Vegetables!** 3일 **Dessert Time**

4일 **How Does It Taste?** 5일 **Crazy Drink**

◉ 여러분이 좋아하는 과일 또는 채소에 동그라미 해 보세요.

Do you like ~? 너는 ~을 좋아하니?

B

◉ 여러분 주변에서 다음 맛이 나는 음식을 찾아 우리말로 써 보세요.

It is + 형용사. 그것은 ~해.

sweet

spicy

salty

sour

과일 샐러드

과일

Fruit Salad

🎁 **재미있는 이야기로 오늘 읽을 글의 내용을 생각해 보세요.**

New Words 오늘 배울 단어를 듣고 써 보세요.

apple 사과

orange 오렌지

banana 바나나

grape 포도

fruit 과일

make 만들다

Fruit Salad

Q 과일 샐러드에는 어떤 과일들이 들어있을까요?

Let's make fruit salad. Do you like apples?

Yes, I do.

Do you like oranges?

Yes, I do.

Do you like bananas?

Yes, I do.

Do you like grapes?

Yes, I do.

Try it.

Yucky!

하루 구문

Do you like ~? 너는 ~을 좋아하니?

상대방이 무엇을 좋아하는지 묻는 표현이에요. 대답은 '응, 좋아해.'라는 의미로 「Yes, I do.」, '아니, 안 좋아해.'라는 의미로 「No, I don't.」라고 할 수 있어요.

salad는 '소금물 뿌린 허브'라는 뜻의 라틴어에서 유래한 말이에요.

Let's Check

▶정답 15쪽

A 문장을 읽고 글의 내용과 일치하면 T, 일치하지 않으면 F에 동그라미 하세요.

1. The boy makes fruit juice.   T   F

2. The girl likes apples.   T   F

3. The girl likes bananas.   T   F

3
주

B 그림에 알맞은 문장을 연결하세요.

1.    •   •   Let's make fruit salad.

2.    •   •   Do you like oranges?

3.    •   •   Do you like grapes?

Let's Practice 집중 연습

 그림에 알맞은 단어를 연결하세요.

1.

2.

3.

apple   banana   orange

B 그림에 알맞은 단어를 보기 에서 골라 문장을 완성하세요.

보기   grape   fruit   make

1.

Do you like _____s?

2.

Let's make _____ salad.

▶정답 15쪽

C 그림에 알맞은 문장을 완성하세요.

1.

apples?

너는 사과를 좋아하니?

2.

oranges?

너는 오렌지를 좋아하니?

D 그림에 맞게 단어를 바르게 배열하여 문장을 쓰세요.

1.

(you / Do / like / grapes)

너는 포도를 좋아하니?

2.

(Do / bananas / like / you)

너는 바나나를 좋아하니?

채소는 싫어요!

채소

No Vegetables!

🎁 재미있는 이야기로 오늘 읽을 글의 내용을 생각해 보세요.

New Words　오늘 배울 단어를 듣고 써 보세요.

cucumber 오이

onion 양파

carrot 당근

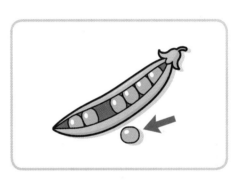

pea 완두콩

vegetable 채소

sandwich 샌드위치

No Vegetables!

Q 여자아이가 싫어하는 채소는 무엇일까요?

Dad makes green sandwiches.

I don't like cucumbers.

I don't like onions.

I don't like carrots.

I don't like peas.

I don't like vegetables.

Oh, no!

I am sorry, Dad.

하루 구문

I don't like ~. 나는 ~을 좋아하지 않아.

내가 무엇을 좋아하지 않는지 말하는 표현이에요. don't는 do not의
줄임말이에요.

미국에서는
샌드위치(sandwich)라는 음식을
점심 식사로 자주 먹어요.

Let's Check

▶정답 16쪽

 문장을 읽고 글의 내용과 일치하면 , 일치하지 않으면 에 동그라미 하세요.

1. Dad makes green sandwiches.　　　

2. The girl likes onions.　　　

3. The girl likes carrots.　　　

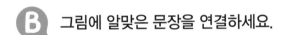 그림에 알맞은 문장을 연결하세요.

1. 　　　　　•　I don't like vegetables.

2. 　　　　　•　I don't like peas.

3. 　　　　　•　I am sorry, Dad.

Let's Practice 집중 연습

A 그림에 알맞은 단어를 연결하세요.

1.

2.

3.

cucumber · · carrot · · sandwich ·

B 그림에 알맞은 단어를 보기 에서 골라 문장을 완성하세요.

보기   vegetable   onion   pea

1.

I don't like _____s.

2.

I don't like _____s.

C 그림에 알맞은 문장을 완성하세요.

1.

I _____ _____ carrots.

나는 당근을 좋아하지 않아.

2.

I _____ _____ onions.

나는 양파를 좋아하지 않아.

D 그림에 맞게 단어나 어구를 바르게 배열하여 문장을 쓰세요.

1.

(don't / I / peas / like)

_____

나는 완두콩을 좋아하지 않아.

2.

(cucumbers / don't / I / like)

_____

나는 오이를 좋아하지 않아.

디저트 먹을 시간 · 디저트

Dessert Time

🎁 **재미있는 이야기로 오늘 읽을 글의 내용을 생각해 보세요.**

New Words   오늘 배울 단어를 듣고 써 보세요.

5

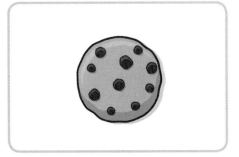

cookie 쿠키

cake 케이크

chocolate 초콜릿

donut 도넛

apple pie 애플파이

dessert 디저트

3
주

Dessert Time

 여자아이가 원하는 디저트는 무엇일까요?

What do you want for dessert?

I want some cookies.

I want some cake.

I want some chocolate.

I want some donuts.

I want some apple pie.

I want some ice cream, too.

하루 구문

I want some ~. 나는 ~을 좀 원해.

무언가를 원한다고 말할 때 쓰는 표현이에요. I want some 다음에 음식
이름이 나오면 그 음식이 먹고 싶다는 것을 나타내요.

'도넛'의 철자는 doughnut,
donut 둘 다 맞아요.

Let's Check

▶정답 17쪽

 문장을 읽고 글의 내용과 일치하면 T, 일치하지 않으면 F에 동그라미 하세요.

1. The girl wants some cake.

2. The girl wants one donut.

3. The girl wants some ice cream, too.

 그림에 알맞은 문장을 연결하세요.

1.

· I want some chocolate.

2.

· I want some cookies.

3.

· I want some apple pie.

Let's Practice 집중 연습

 그림에 알맞은 단어를 연결하세요.

1.

2.

3.

apple pie

chocolate

cake

B 그림에 알맞은 단어를 보기에서 골라 문장을 완성하세요.

보기   dessert   donut   cookie

1.

What do you want for _____?

2.

I want some _____s.

C 그림에 알맞은 문장을 완성하세요.

1.

I   cookies.

나는 쿠키를 좀 원해.

2.

I   ice cream.

나는 아이스크림을 좀 원해.

3주

D 그림에 맞게 단어를 바르게 배열하여 문장을 쓰세요.

1.

(want / I / some / cake)

나는 케이크를 좀 원해.

2.

(apple pie / some / I / want)

나는 애플파이를 좀 원해.

맛이 어떠니?

How Does It Taste?

음식의 맛

📦 **재미있는 이야기로 오늘 읽을 글의 내용을 생각해 보세요.**

New Words　오늘 배울 단어를 듣고 써 보세요.

sweet 달콤한

spicy 매운

salty 짠

sour 신

curry 카레

lemon juice 레몬주스

How Does It Taste?

Q 남자아이가 좋아하는 음식들은 어떤 맛일까요?

Foods have different tastes.

I like ice cream.

It is sweet.

I like curry.

It is spicy.

I don't like pizza.

It is too salty.

I don't like lemon juice.

It is too sour.

It is + 형용사. 그것은 ~해.

음식의 맛을 나타내는 표현이에요. be동사 is 다음에 맛을 나타내는 형용사를 써요.

카레, 피자는 외국 음식이에요. 우리 고유의 음식은 김치, 불고기 등이 있어요.

Let's Check

▶정답 18쪽

A 글의 내용과 일치하도록 빈칸에 알맞은 것을 고르세요.

1. _____ have different tastes.

   ⓐ Things   ⓑ Animals   ⓒ Foods

2. The boy likes _____. It is sweet.

   ⓐ ice cream   ⓑ curry   ⓒ pizza

3
주

B 그림에 알맞은 문장을 연결하세요.

1.

     •   • It is spicy.

2.

     •   • It is too salty.

3.

     •   • I don't like lemon juice.

Let's Practice 집중 연습

A 그림에 알맞은 단어를 연결하세요.

1.

2.

3.

salty　　　　lemon juice　　　　curry

B 그림에 알맞은 단어를 보기에서 골라 문장을 완성하세요.

보기　　sour　　sweet　　spicy

1. 　　It is _____.

2. 　　It is _____.

C 그림에 알맞은 문장을 완성하세요.

1.

               sweet.

그것은 달아.

2.

             too salty.

그것은 너무 짜.

D 그림에 맞게 단어를 바르게 배열하여 문장을 쓰세요.

1.

(spicy / is / It)

그것은 매워.

2.

(It / too / sour / is)

그것은 너무 셔.

이상한 음료
Crazy Drink 1~4일 복습

재미있는 이야기로 오늘 읽을 글의 내용을 생각해 보세요.

New Words

오늘 배울 단어를 듣고 써 보세요.

milk 우유

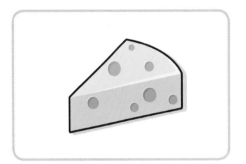

cheese 치즈

butter 버터

soda 탄산음료

delicious 맛있는

mix 섞다

Crazy Drink

Q 외계인이 만든 음료에는 무엇이 들어갔을까요?

I make "Crazy Drink!"

I want some milk.
I want some cheese.
Let's put them in.

Do you like butter?
Okay. Let's put it in.
Hmm... I don't like soda.

Now, mix it together.
It is delicious!

Do you like ~?	**I don't like ~.**
너는 ~을 좋아하니?	나는 ~을 좋아하지 않아.
I want some ~.	**It is +** 형용사.
나는 ~을 좀 원해.	그것은 ~해.

Let's Check

▶정답 19쪽

 글의 내용과 일치하도록 괄호 안에서 알맞은 것을 골라 동그라미 하세요.

1. The drink has some milk, cheese and (butter / soda) in it.

2. "Crazy Drink" is (delicious / sour).

 그림에 알맞은 문장을 연결하세요.

1.    •

  • Do you like butter?

2.    •

  • I don't like soda.

3.    •

  • I want some cheese.

Let's Practice 집중 연습

A 그림에 알맞은 단어를 연결하세요.

1.

2.

3.

milk

cheese

soda

B 그림에 알맞은 단어를 보기 에서 골라 문장을 완성하세요.

보기   mix   butter   delicious

1.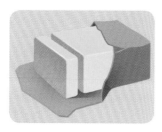

Do you like _____?

2.

Now, _____ it together.

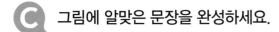

C 그림에 알맞은 문장을 완성하세요.

1.

I   milk.

나는 우유가 좀 필요해.

2.

I   soda.

나는 탄산음료를 좋아하지 않아.

D 그림에 맞게 단어를 바르게 배열하여 문장을 쓰세요.

1.

(some / cheese / want / I)

나는 치즈가 좀 필요해.

2.

(delicious / It / is)

그것은 맛있어.

1 단어에 알맞은 그림을 고르세요.

grape

①

②

③

④

2 그림에 알맞은 단어를 고르세요.

소금

① salty
② spicy
③ sour
④ sweet

3 우리말에 맞게 빈칸에 알맞은 말을 고르세요.

나는 도넛을 좀 원해.
I _____ some donuts.

① want
② don't
③ make
④ am

4 그림을 보고 알맞은 문장의 기호를 쓰세요.

ⓐ Do you like oranges?
ⓑ I want some chocolate.
ⓒ It is spicy.

(1)

(2)

[5~6] 다음 글을 읽고, 물음에 답하세요.

Dad makes green sandwiches.

I don't like cucumbers.
I don't like onions.
I don't like carrots.
<u>저는 완두콩을 좋아하지 않아요.</u>
I don't like vegetables.

Oh, no!
I am sorry, Dad.

5 윗글의 밑줄 친 우리말에 맞게 문장을 완성하세요.

I _____ _____ peas.

6 윗글에서 언급되지 <u>않은</u> 채소를 고르세요.

① 오이
② 양파
③ 양배추
④ 당근

[7~8] 다음 글을 읽고, 물음에 답하세요.

Foods have different tastes.

I like ice cream.

_____

I like curry.
It is spicy.

I don't like pizza.
It is too salty.

I don't like lemon juice.
It is too sour.

7 그림에 맞게 윗글의 빈칸에 알맞은 문장을 완성하세요.

_____ _____ sweet.

8 윗글의 'I'가 좋아하는 음식 <u>두</u> 개를 고르세요.

① 아이스크림
② 카레
③ 피자
④ 레몬주스

🧩 배운 내용을 떠올리며 말판 놀이를 해 보세요.

1. 그림을 보고 알맞은 단어에
   동그라미 하세요.

   vegetable   fruit

2. 그림에 알맞은 단어를 완성하세요.

   ☐ ni ☐ n

3. 단어를 읽고 알맞은 우리말 뜻과
   연결하세요.

   sandwich · · 케이크
   cake · · 샌드위치

4. 그림을 보고 알파벳을 바르게
   하여 단어를 쓰세요.

   tertu
   → _____

. 우리말에 맞게 문장을 완성하세요.

나는 치즈를 좀 원해.

I _____ _____
cheese.

8. 우리말에 알맞은 문장에 ✓ 표 하세요.

나는 피자를 좋아하지 않아.

It is spicy. ☐

I don't like pizza. ☐

9. 그림과 문장이 일치하면 ○ 표, 일치하지 않으면 × 표 하세요.

I want some milk. ☐

. 문장을 읽고 알맞은 그림에 동그라미 하세요.

I don't like carrots.

10. 우리말에 맞게 단어를 바르게 배열하여 문장을 쓰세요.

그것은 너무 셔.

(too / It / sour / is)

→ _____

. 그림과 단어가 일치하면 ○ 표, 일치하지 않으면 × 표 하세요.

mix ☐

FINISH

A 사탕기계에서 기계와 같은 색의 사탕을 뽑아야 먹을 수 있어요. 기계에서 뽑은 사탕에 적힌 알파벳을 조합하여 단어를 완성하세요.

m ＿＿ ＿＿ ＿＿

＿＿ ar ＿＿ o ＿＿

c ＿＿ ＿＿ ＿＿

B 도서관 책장에 있던 책 몇 권이 사라졌어요. 단서 를 보고 사라진 책의 개수를 참고하여, 빈칸에 들어갈 알맞은 알파벳을 쓰세요.

단서

s - 3권   r - 3권   c - 2권

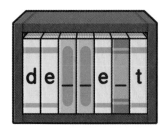

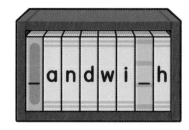

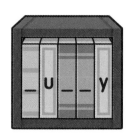

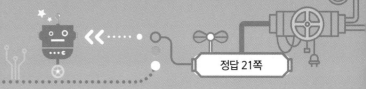
C 엄마의 심부름으로 마트에 가는 길에 쇼핑 목록 일부가 지워졌어요. 마트의 물건 가격을 참고하여 쇼핑 목록에 해당하는 단어로 문장을 완성하세요.

1. ch★   2,500원   I want some _____ .

2. appl★   5,000원   I want some _____ .

3. ★late   3,000원   I want some _____ .

Step
A 그림 단서를 보고 [보기]에서 알맞은 단어를 골라 퍼즐을 완성하세요.

보기   soda   cheese   milk   delicious

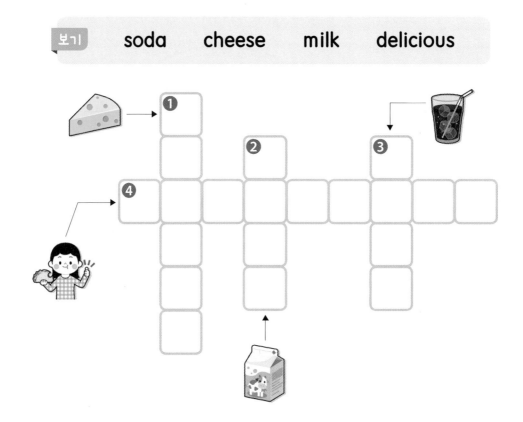

Step
B Step A 의 단어를 사용하여 글을 완성하세요.

I make "Crazy Drink!"

I want some _____.

I want some _____.

Let's put them in.

Do you like butter?

Okay. Let's put it in.

Hmm... I don't like  _____.

Now, mix it together.

It is _____!

Step C

단서 를 보고 암호를 풀어 문장을 쓰세요.

단서 ★ = Do   ♥ = like   ※ = you   ♠ = don't

1. ★ ※ ♥ butter?

   _____

   너는 버터를 좋아하니?

2. I ♠ ♥ soda.

   _____

   나는 탄산음료를 좋아하지 않아.

창의 서술형

 여러분만의 특별한 음료를 설명하는 글을 완성하세요.

I make "Crazy Drink!"

I want some _____.

I want some _____.

Let's put them in.

Do you like _____?

Okay. Let's put it in.

Hmm... I don't like _____.

Now, mix it together.

It is _____!

4주에는 무엇을 공부할까? ①

재미있는 이야기로 이번 주에 공부할 내용을 알아보세요.

Animals 동물

1일 In the Zoo **2**일 At the Farm **3**일 In the Sea

4일 Penguins Can't Fly **5**일 Animal Picnic

4주에는 무엇을 공부할까? ②

A

◉ 여러분이 본 적 있는 동물에 동그라미 해 보세요.

> **Look at the ~.** ~을 봐.

lions

giraffes

rabbits

elephants

monkeys

kangaroos

B

◉ 다음 동물들의 공통점이 무엇인지 말해 보세요.

Is it a ~? 그것은 ~니?

fish

crab

turtle

dolphin

shark

whale

예시 답 ▶ 롬옹 극사 ||0롬

In the Zoo

동물원에서   동물원

🎁 재미있는 이야기로 오늘 읽을 글의 내용을 생각해 보세요.

New Words　오늘 배울 단어를 듣고 써 보세요.

lion 사자

giraffe 기린

elephant 코끼리

monkey 원숭이

heavy 무거운

cute 귀여운

In the Zoo

Q 동물원에 있는 동물들은 어떤 특징이 있을까요?

Look at the lions.

They are fast.

Look at the giraffes.

They are tall.

Look at the elephants.

They are heavy.

Look at the monkeys.

They are cute.

Hey, give that back!

하루 구문

Look at the + 복수명사. **They are** + 형용사.
…을 봐. 그(것)들은 ～해.

두 개 이상의 대상을 가리키며 특징을 묘사하는 표현이에요.

미국에서 가장 큰 동물원은
뉴욕주의 브롱크스 지역에 있는
브롱크스 동물원이에요.

Let's Check

▶정답 22쪽

 글의 내용과 일치하도록 괄호 안에서 알맞은 것을 골라 동그라미 하세요.

1. The lions are (fast / tall).

2. The monkeys are (heavy / cute).

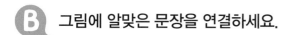 그림에 알맞은 문장을 연결하세요.

1.  • • They are tall.

2.  • • Look at the lions.

3.  • • Look at the elephants.

Let's Practice 집중 연습

A 그림에 알맞은 단어를 연결하세요.

1.

2.

3.

lion   elephant   monkey

B 그림에 알맞은 단어를 보기 에서 골라 문장을 완성하세요.

보기   giraffe   heavy   cute

1.

Look at the _____s.

2.

They are _____.

C 그림에 알맞은 문장을 완성하세요.

1.

the lions.

사자들을 봐.

2.

cute.

그것들은 귀여워.

D 그림에 맞게 단어를 바르게 배열하여 문장을 쓰세요.

1.

(Look / elephants / the / at)

코끼리들을 봐.

2.

(fast / They / are)

그것들은 빨라.

2일

Reading

농장에서

농장 동물

At the Farm

📦 재미있는 이야기로 오늘 읽을 글의 내용을 생각해 보세요.

New Words

오늘 배울 단어를 듣고 써 보세요.

cow 암소, 젖소

horse 말

pig 돼지

farm 농장

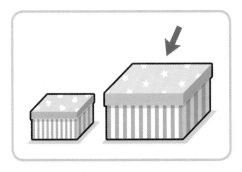

large 큰

Shhh..

quiet 조용한

At the Farm

Q 농장에 있는 동물들은 무엇을 하고 있을까요?

My family has a large farm.

This is a cow.
The cow is eating.

That is a horse.
The horse is running.

This is a pig.
The pig is sleeping.

Shhh! Be quiet.

하루 구문

주어 + **be**동사 + 동사원형**ing.** ~은 …을 하고 있어.

현재 하고 있는 동작을 말하는 표현이에요. 진행형은 동사의 원래 형태에 -ing를 붙여요.

run처럼 「단모음+단자음」으로 된 동사는 마지막 자음을 하나 더 쓰고 -ing를 붙여요.

Let's Check

▶정답 23쪽

 문장을 읽고 글의 내용과 일치하면 T, 일치하지 않으면 F에 동그라미 하세요.

1. The family has a small farm.

2. The cow is eating.

3. The pig is running.

4
주

B 그림에 알맞은 문장을 연결하세요.

1. 　·　·　This is a cow.

2. 　·　·　The pig is sleeping.

3. 　·　·　The horse is running.

Let's Practice 집중 연습

A 그림에 알맞은 단어를 연결하세요.

1.

2.

3.

cow

pig

horse

B 그림에 알맞은 단어를 보기 에서 골라 문장을 완성하세요.

보기   farm   quiet   large

1.

My family has a large _____.

2.

Shhh! Be _____.

▶정답 23쪽

C 그림에 알맞은 문장을 완성하세요.

1.

The pig _____ .

돼지는 잠을 자고 있어.

2.

The cow _____ .

소는 먹이를 먹고 있어.

D 그림에 맞게 단어를 바르게 배열하여 문장을 쓰세요.

1.

(running / The / horse / is)

_____

말은 달리고 있어.

2.

(The / eating / is / cow)

_____

소는 먹이를 먹고 있어.

바다에는   바다 동물

In the Sea

📦 재미있는 이야기로 오늘 읽을 글의 내용을 생각해 보세요.

New Words 오늘 배울 단어를 듣고 써 보세요.

5

fish 물고기

crab 게

turtle 거북이

whale 고래

shark 상어

dolphin 돌고래

4
주

In the Sea

Q 남자아이가 바다에서 본 동물들은 무엇일까요?

What is in the sea?

Is it a fish?

No. It is a crab.

Is it a turtle?

No. It is a whale.

Is it a shark?

No. It is a dolphin.

Wow, amazing!

하루 구문

Is it a ~? 그것은 ~니?

동물, 사물 등이 무엇인지 확인하는 표현이에요. 대답은 긍정이면 「Yes, it is.」, 부정이면 「No, it isn't.」라고 말해요.

4m를 기준으로 더 큰 것을 고래, 더 작은 것을 돌고래라고 부른대요.

Let's Check

▶정답 24쪽

 글의 내용과 일치하도록 빈칸에 알맞은 것을 고르세요.

1. The boy is in the _____.

   ⓐ farm   ⓑ sea   ⓒ pool

2. The boy sees a _____ in the sea.

   ⓐ crab   ⓑ turtle   ⓒ shark

B 그림에 알맞은 문장을 연결하세요.

1.
   •   • Is it a shark?

2.
   •   • It is a dolphin.

3.
   •   • It is a whale.

Let's Practice 집중 연습

A 그림에 알맞은 단어를 연결하세요.

1.

2.

3.

dolphin

crab

turtle

B 그림에 알맞은 단어를 보기 에서 골라 문장을 완성하세요.

보기   fish   shark   whale

1.

It is a _____.

2.

Is it a _____?

C 그림에 알맞은 문장을 완성하세요.

1.

a turtle?

그것은 거북이인가요?

2.

a shark?

그것은 상어인가요?

4
주

D 그림에 맞게 단어를 바르게 배열하여 문장을 쓰세요.

1.

(Is / crab / a / it)

그것은 게인가요?

2.

(dolphin / Is / it / a)

그것은 돌고래인가요?

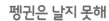

펭귄은 날지 못해

동물의 특징

Penguins Can't Fly

🎁 **재미있는 이야기로 오늘 읽을 글의 내용을 생각해 보세요.**

New Words 오늘 배울 단어를 듣고 써 보세요.

7

bird 새

bee 벌

frog 개구리

penguin 펭귄

4
주

fly 날다

honey 꿀

Penguins Can't Fly

Q 각 동물이 할 수 없는 것은 무엇일까요?

Birds can't swim.

But they can fly.

Bees can't jump.

But they can make honey.

Frogs can't run.

But they can jump.

Penguins can't fly.

But they can swim.

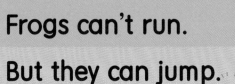

하루 구문

주어 **＋ can/can't ~.** …은 ~할 수 있어/없어.

할 수 있는 것과 할 수 없는 것을 말하는 표현이에요. can't는 cannot의 줄임말로 할 수 없는 것을 나타내요.
can과 can't 다음에는 동사의 원형을 써요.

Let's Check

▶정답 25쪽

A 문장을 읽고 글의 내용과 일치하면 **T**, 일치하지 않으면 **F**에 동그라미 하세요.

1. Birds can't swim.   **T**   **F**

2. Frogs can't jump.   **T**   **F**

3. Penguins can't fly.   **T**   **F**

B 그림에 알맞은 문장을 연결하세요.

1.    •

    • They can make honey.

2.    •

    • They can swim.

3.    •

    • Frogs can't run.

 Let's Practice 집중 연습

A 그림에 알맞은 단어를 연결하세요.

1.

2.

3.

•　　　　　　　　•　　　　　　　　•

•　　　　　　　　•　　　　　　　　•

frog　　　　　　　bee　　　　　　penguin

B 그림에 알맞은 단어를 보기 에서 골라 문장을 완성하세요.

보기　　bird　　fly　　honey

1. 　　They can make _____ .

2. 　　They can _____ .

C 그림에 알맞은 문장을 완성하세요.

1.

Penguins   .

펭귄은 날지 못해.

2.

Frogs   .

개구리는 점프할 수 있어.

D 그림에 맞게 단어나 어구를 바르게 배열하여 문장을 쓰세요.

1.

(swim / Birds / can't)

새는 수영을 못해.

2.

(Bees / make / can / honey)

벌은 꿀을 만들 수 있어.

동물들의 소풍
Animal Picnic 1~4일 복습

🎁 재미있는 이야기로 오늘 읽을 글의 내용을 생각해 보세요.

New Words　오늘 배울 단어를 듣고 써 보세요.

bear 곰

tiger 호랑이

rabbit 토끼

kangaroo 캥거루

animal 동물

picnic 소풍

Animal Picnic

Q 소풍을 나온 동물들에게 무슨 일이 생겼을까요?

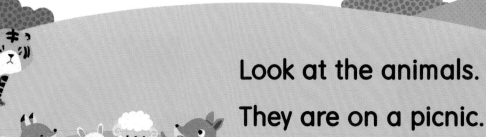

Look at the animals.

They are on a picnic.

Look!

Is it a bear?

No. It is a tiger.

The tiger is coming.

Run!

The rabbit can't run fast.

The kangaroo says, "Come in here."

하루 구문 복습!

Look at the + 복수명사.	**주어 + be동사 + 동사원형ing.**
They are + 형용사. …을 봐. 그(것)들은 ~해.	~은 …을 하고 있어.
Is it a ~?	**주어 + can/can't ~.**
그것은 ~니?	…은 ~할 수 있어/없어.

Let's Check

▶정답 26쪽

 글의 내용과 일치하도록 괄호 안에서 알맞은 것을 골라 동그라미 하세요.

1. Animals are on a (picnic / race).

2. The (kangaroo / tiger) helps the rabbit.

B 그림에 알맞은 문장을 연결하세요.

1.

   The tiger is coming.

2.

   Is it a bear?

3.

   The rabbit can't run fast.

Let's Practice 집중 연습

 그림에 알맞은 단어를 연결하세요.

1.

2.

3.

bear   tiger   kangaroo

B 그림에 알맞은 단어를 보기 에서 골라 문장을 완성하세요.

보기   picnic   animal   rabbit

1.

They are on a _____.

2.

The _____ can't run fast.

▶정답 26쪽

C 그림에 알맞은 문장을 완성하세요.

1.

_____ ____ the animals.

동물들을 봐.

2.

The tiger _____ _____.

호랑이가 오고 있어.

4
주

D 그림에 맞게 단어나 어구를 바르게 배열하여 문장을 쓰세요.

1.

(bear / Is / it / a)

_____

그것은 곰이니?

2.

(can't / run / The rabbit / fast)

_____

그 토끼는 빨리 뛰지 못해.

1 단어에 알맞은 그림을 고르세요.

bird

①  ②

③  ④

3 우리말에 맞게 빈칸에 알맞은 말을 고르세요.

새는 수영을 못해.
Birds _____ swim.

① can
② can't
③ don't
④ doesn't

2 그림에 알맞은 단어를 고르세요.

① frog
② rabbit
③ bear
④ kangaroo

4 그림을 보고 알맞은 문장의 기호를 쓰세요.

ⓐ Is it a dolphin?
ⓑ Penguins can't fly.
ⓒ The cow is eating.

(1)    (2)

[5~6] 다음 글을 읽고, 물음에 답하세요.

Look at the lions.
They are fast.

Look at the giraffes.
They are tall.

Look at the elephants.
They are heavy.

<u>원숭이들을 봐.</u>
They are cute.

Hey, give that back!

5 윗글의 밑줄 친 우리말에 맞게 문장을 완성하세요.

_____ _____ the monkeys.

6 윗글의 내용과 일치하지 <u>않는</u> 것을 고르세요.

① 사자는 빠르다.

② 기린은 키가 크다.

③ 코끼리는 크기가 작다.

④ 원숭이는 귀엽다.

[7~8] 다음 글을 읽고, 물음에 답하세요.

What is in the sea?

Is it a fish?
No. It is a crab.

Is it a turtle?
No. It is a whale.

_____
No. It is a dolphin.

Wow, amazing!

7 그림에 맞게 윗글의 빈칸에 알맞은 문장을 완성하세요.

_____ _____ a shark?

8 윗글에서 남자아이가 바닷속에서 본 동물이 <u>아닌</u> 것을 고르세요.

① 게

② 거북이

③ 고래

④ 돌고래

🧩 배운 내용을 떠올리며 말판 놀이를 해 보세요.

1. 그림을 보고 알맞은 단어에 동그라미 하세요.

giraffe frog

2. 그림에 알맞은 단어를 완성하세요.

□ea□y

START

3. 단어를 읽고 알맞은 우리말 뜻과 연결하세요.

large ·   · 날다

fly ·   · 큰

4. 그림을 보고 알파벳을 바르게 배하여 단어를 쓰세요.

shroe

→

FINISH

10. 우리말에 맞게 단어나 어구를 바르게 배열하여 문장을 쓰세요.

> 펭귄은 날지 못해.

(Penguins / fly / can't)

→ _____

4
주

9. 그림과 문장이 일치하면 ○ 표, 일치하지 않으면 × 표 하세요.

Look at the lions. ☐

5. 그림과 단어가 일치하면 ○ 표, 일치하지 않으면 × 표 하세요.

whale ☐

6. 문장을 읽고 알맞은 그림에 동그라미 하세요.

> Is it a crab?

7. 우리말에 맞게 문장을 완성하세요.

> 벌은 점프를 못해.
>
> Bees _____ _____ .

8. 우리말에 알맞은 문장에 ✓ 표 하세요.

> 호랑이가 오고 있어.

The tiger is coming. ☐

The pig is sleeping. ☐

A 아이스크림 가게에서 여러 가지 맛의 아이스크림을 골랐어요. 보기 를 보고 고른 아이스크림의 알파벳으로 단어를 완성하고 우리말 뜻을 쓰세요.

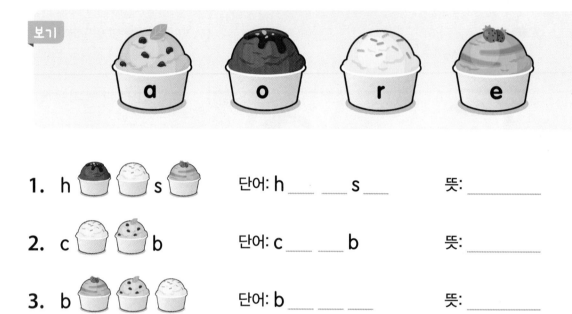

보기

a   o   r   e

1. h ⬤⬤⬤ s   단어: h____ ____ s____   뜻: _____

2. c ⬤⬤ b   단어: c____ ____ b   뜻: _____

3. b ⬤⬤⬤   단어: b____ ____ ____   뜻: _____

B 알파벳이 쓰인 퍼즐의 가로축을 연결하면 단어가 완성돼요. 힌트 를 보고 퍼즐을 완성한 후 분홍색 퍼즐과 파란색 퍼즐에 각각 공통으로 알맞은 알파벳을 쓰세요.

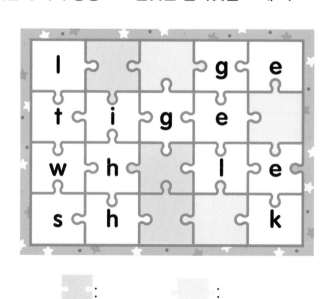

힌트

l			g	e
t	i	g	e	
w	h		l	e
s	h			k

⬦ : ____   ⬦ : ____

C 숲속에 동물들이 모여 있어요. 힌트 를 보고 해당하는 동물을 찾아 원숭이는 동그라미, 캥거루는 세모, 사자는 네모로 표시한 후, 영어 문장을 완성하세요.

1. 힌트

Is it a _____?

2. 힌트

Is it a _____?

3. 힌트

Is it a _____?

Step A 그림 단서를 보고 보기 에서 알맞은 단어를 골라 퍼즐을 완성하세요.

보기   bear   rabbit   tiger   kangaroo

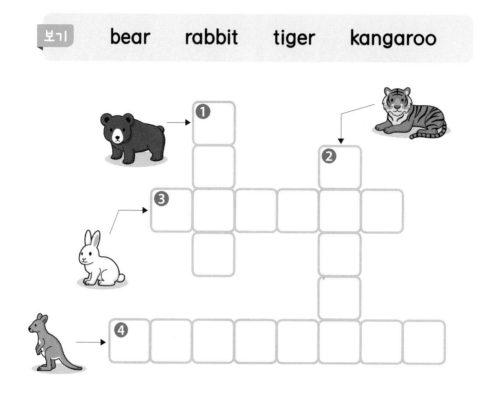

Step B   Step A 의 단어를 사용하여 글을 완성하세요.

Look at the animals.

They are on a picnic.

Look!

Is it a _____?

No. It is a _____.

The tiger is coming.

Run!

The _____ can't run fast.

The _____ says, "Come in here."

Step C

단서 를 보고 암호를 풀어 문장을 쓰세요.

> **단서** ★ = Look   ♥ = run   ※ = can't   ♠ = at

1. ★ ♠ the animals.

_____
- -
_____

동물들을 봐.

2. The rabbit ※ ♥ fast.

_____
- -
_____

그 토끼는 빨리 뛰지 못해.

창의 서술형

✏ 여러분이 상상하는 동물들의 소풍을 묘사하는 글을 완성하세요.

Look at the animals.

They are on a picnic.

Look!

Is it a(n) _____?

No. It is a(n) _____.

The _____ is coming.

Run!

The _____ can't run fast.

The kangaroo says, "Come in here."

1주 1일

☐ **face** 얼굴

☐ **eye** 눈

☐ **nose** 코

☐ **mouth** 입

☐ **ear** 귀

☐ **round** 둥근

1주 2일

☐ **arm** 팔

☐ **hand** 손

☐ **leg** 다리

☐ **foot** 발

☐ **catch** 잡다

☐ **kick** 차다

1주 3일

☐ **see** 보다

☐ **smell** 냄새를 맡다

☐ **hear** 듣다

☐ **taste** 맛을 보다

☐ **touch** 만지다

☐ **tongue** 혀

1주 4일

☐ **move** 움직이다

☐ **open** (눈을) 뜨다, 열다

☐ **close** (눈을) 감다, 닫다

☐ **clap** 손뼉 치다

☐ **shake** 흔들다

☐ **head** 머리

1주 5일

☐ **toe** 발가락

☐ **tooth** 치아

☐ **finger** 손가락

☐ **count** 세다

☐ **write** 쓰다

☐ **cut** 자르다

2주 1일

- [ ] **classroom** 교실
- [ ] **art room** 미술실
- [ ] **gym** 체육관
- [ ] **playground** 운동장
- [ ] **school** 학교
- [ ] **building** 건물

2주 2일

- [ ] **calendar** 달력
- [ ] **mirror** 거울
- [ ] **ruler** 자
- [ ] **square** 정사각형
- [ ] **circle** 원
- [ ] **triangle** 삼각형

2주 3일

- [ ] **student** 학생
- [ ] **boy** 남자아이
- [ ] **girl** 여자아이
- [ ] **bus** 버스
- [ ] **driver** 운전사
- [ ] **teacher** 선생님

2주 4일

- [ ] **talk** 말하다
- [ ] **help** 돕다
- [ ] **listen** 듣다
- [ ] **raise** (손을) 들다
- [ ] **say** 말하다
- [ ] **rule** 규칙

2주 5일

- [ ] **computer room** 컴퓨터실
- [ ] **pool** 수영장
- [ ] **cafeteria** 급식실
- [ ] **game** 게임
- [ ] **ice cream** 아이스크림
- [ ] **hamburger** 햄버거

3주 1일

☐ apple 사과	☐ orange 오렌지
☐ banana 바나나	☐ grape 포도
☐ fruit 과일	☐ make 만들다

3주 2일

☐ cucumber 오이	☐ onion 양파
☐ carrot 당근	☐ pea 완두콩
☐ vegetable 채소	☐ sandwich 샌드위치

3주 3일

☐ cookie 쿠키	☐ cake 케이크
☐ chocolate 초콜릿	☐ donut 도넛
☐ apple pie 애플파이	☐ dessert 디저트

3주 4일

☐ sweet 달콤한	☐ spicy 매운
☐ salty 짠	☐ sour 신
☐ curry 카레	☐ lemon juice 레몬주스

3주 5일

☐ milk 우유	☐ cheese 치즈
☐ butter 버터	☐ soda 탄산음료
☐ delicious 맛있는	☐ mix 섞다

4주 1일

- lion 사자
- giraffe 기린
- elephant 코끼리
- monkey 원숭이
- heavy 무거운
- cute 귀여운

4주 2일

- cow 암소, 젖소
- horse 말
- pig 돼지
- farm 농장
- large 큰
- quiet 조용한

4주 3일

- fish 물고기
- crab 게
- turtle 거북이
- whale 고래
- shark 상어
- dolphin 돌고래

4주 4일

- bird 새
- bee 벌
- frog 개구리
- penguin 펭귄
- fly 날다
- honey 꿀

4주 5일

- bear 곰
- tiger 호랑이
- rabbit 토끼
- kangaroo 캥거루
- animal 동물
- picnic 소풍

친절한 말은 아주 짧기 때문에
말하기가 쉽다.

하지만 그 말의 메아리는 무궁무진하게
울려 퍼지는 법이다.

Kind words can be short and easy to speak,
but their echoes are truly endless.

테레사 수녀

친절한 말, 따뜻한 말 한마디는 누군가에게 커다란 힘이 될 수도 있어요.
나쁜 말 대신 좋은 말을 하게 되면 언젠가 나에게 보답으로 돌아온답니다.
앞으로 나쁘고 거친 말 대신 좋고 예쁜 말만 쓰기로 우리 약속해요!

뭘 좋아할지 몰라 다 준비했어♥
전과목 교재

전과목 시리즈 교재

● **무등생 해법시리즈**
– 국어/수학	1~6학년, 학기용
– 사회/과학	3~6학년, 학기용
– 봄·여름/가을·겨울	1~2학년, 학기용
– SET(전과목/국수, 국사과)	1~6학년, 학기용

● **똑똑한 하루 시리즈**
– 똑똑한 하루 독해	예비초~6학년, 총 14권
– 똑똑한 하루 글쓰기	예비초~6학년, 총 14권
– 똑똑한 하루 어휘	예비초~6학년, 총 14권
– 똑똑한 하루 수학	1~6학년, 학기용
– 똑똑한 하루 계산	예비초~6학년, 총 14권
– 똑똑한 하루 사고력	1~6학년, 학기용
– 똑똑한 하루 도형	예비초~6학년, 단계별
– 똑똑한 하루 사회/과학	3~6학년, 학기용
– 똑똑한 하루 봄/여름/가을/겨울	1~2학년, 총 8권
– 똑똑한 하루 안전	1~2학년, 총 2권
– 똑똑한 하루 Voca	3~6학년, 학기용
– 똑똑한 하루 Reading	초3~초6, 학기용
– 똑똑한 하루 Grammar	초3~초6, 학기용
– 똑똑한 하루 Phonics	예비초~초등, 총 8권

● **초등 문해력 독해가 힘이다**
– 비문학편	3~6학년, 단계별

영어 교재

● **초등영어 교과서 시리즈**
파닉스(1~4단계)	3~6학년, 학년용
회화(입문1~2, 1~6단계)	3~6학년, 학기용
영단어(1~4단계)	3~6학년, 학년용

● **셀파 English(어휘/회화/문법)**	3~6학년
● **Reading Farm(Level 1~4)**	3~6학년
● **Grammar Town(Level 1~4)**	3~6학년
● **LOOK BOOK 영단어**	3~6학년, 단행본
● **원서 읽는 LOOK BOOK 영단어**	3~6학년, 단행본
● **멘토 Story Words**	2~6학년, 총 6권

똑똑한
하루
Reading

정답

매일매일
쌓이는
영어 기초력

3학년 영어

1B

 천재교육

1주 1일

1일 Reading

Who Are You? 넌 누구니?

Q 남자아이가 묘사하고 있는 사람은 누구일까요? 자기 자신

You have a round face. — 너는 얼굴이 동그래.
You have two eyes. — 너는 눈이 두 개야.
You have a nose. — 너는 코가 한 개야.
You have a mouth. — 너는 입이 한 개야.
You have two ears. — 너는 귀가 두 개야.
You are handsome. — 너는 잘생겼어.
Who are you? — 넌 누구니?
Oh, you are me. — 오, 나였구나.

하루 구문

You have ~. 너는 ~을 가지고 있어.
상대방이 소유하고 있는 것을 나타내는 표현이에요. 내가 소유하고 있는
것은 「I have~.」로 나타내요.

물건을 가지고 있을 때 뿐 아니라
신체 부위를 설명할 때도
동사 have(가지다)를 써요.

14 · 똑똑한 하루 Reading

Let's Check

A 글의 내용과 일치하도록 괄호 안에서 알맞은 것을 골라 동그라미 하세요.

▶정답 1쪽

1. The boy has a round (**face** / nose).
2. The boy has two (mouths / **eyes**).

B 그림에 알맞은 문장을 연결하세요.

1. ─── You are handsome.
2. ─── You have a mouth.
3. ─── You have two ears.

Level 1 B · 15

1일 Reading

Let's Practice 집중 연습

A 그림에 알맞은 단어를 연결하세요.

1. 2. 3.

face   ear   nose

B 그림에 알맞은 단어를 보기 에서 골라 문장을 완성하세요.

보기   mouth   eye   round

1. You have a **round** face.
2. You have a **mouth**.

16 · 똑똑한 하루 Reading

C 그림에 알맞은 문장을 완성하세요.

1. **You have** a round face.
너는 얼굴이 동그래.

2. **You have** two ears.
너는 귀가 두 개야.

D 그림에 맞게 단어를 바르게 배열하여 문장을 쓰세요.

1. (have / a / nose / You)
You have a nose.
너는 코가 한 개야.

2. (You / eyes / have / two)
You have two eyes.
너는 눈이 두 개야.

Level 1 B · 17

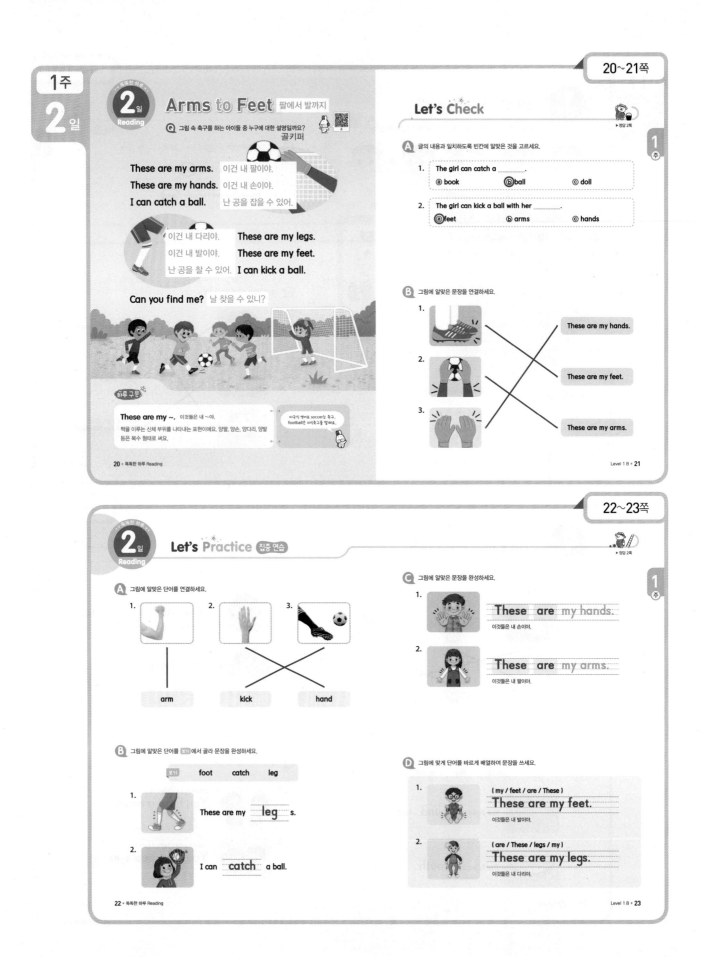

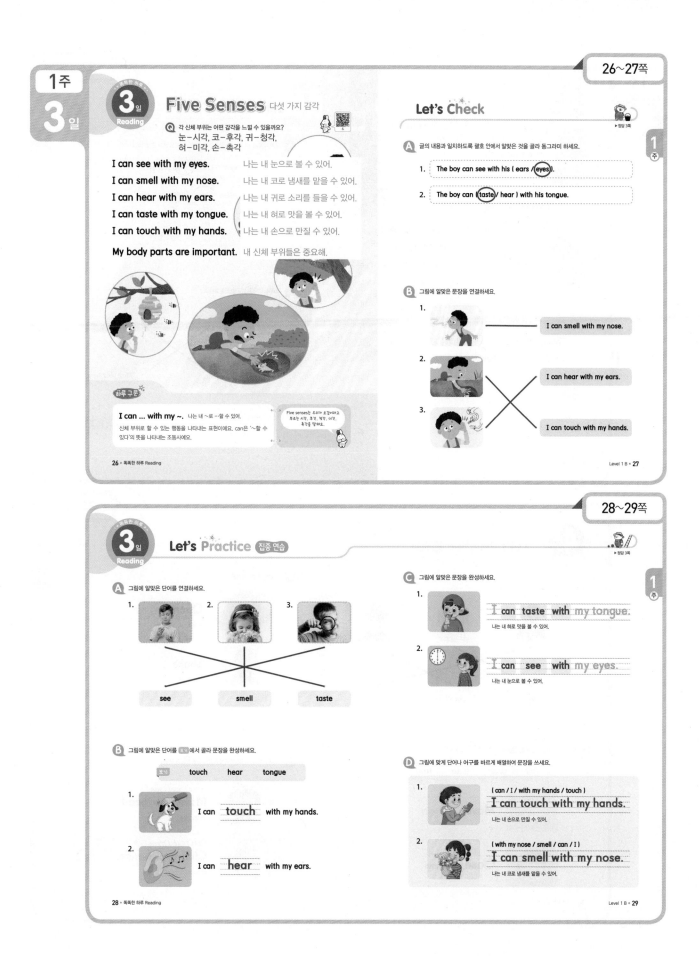

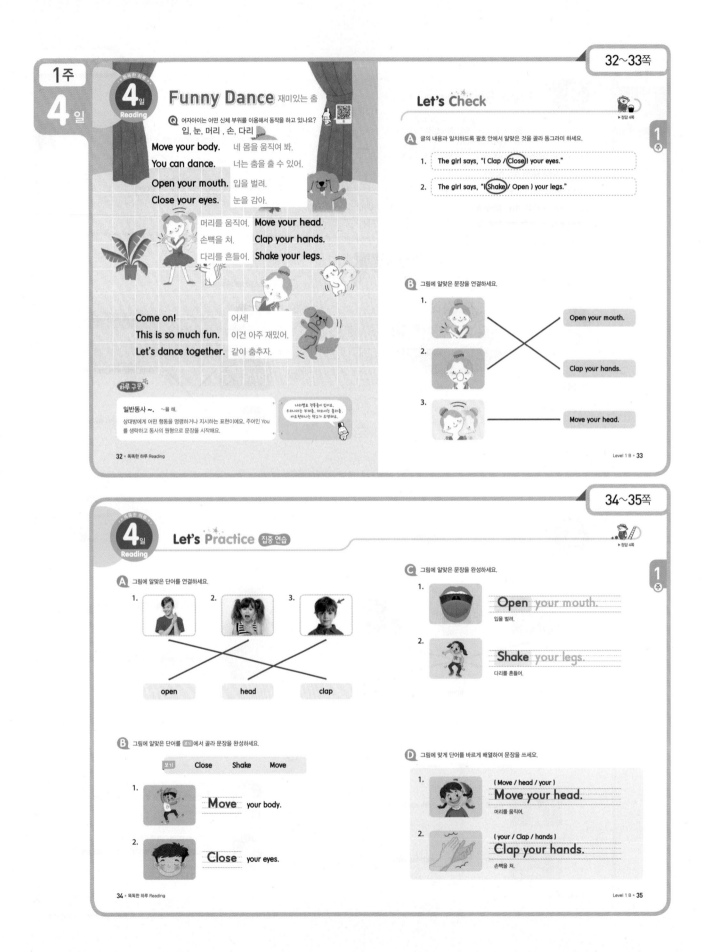

1주

5일

5일 Reading

You Look Funny! 너 재밌게 생겼다!

Q 몬스터는 어떤 신체 부위를 가지고 있을까요?
발가락 여덟 개, 긴 이빨, 날카로운 손가락

- You have eight toes.
- Yes, I can count with my toes.
- You have long teeth.
- Yes, I can write with my teeth.
  These are my fingers.
  They are sharp.
- Cut this paper for me, please.

남아: 너는 발가락이 여덟 개야.
몬스터: 응, 난 발가락으로 수를 셀 수 있어.
남아: 너는 이가 길어.
몬스터: 응, 난 이로 글씨를 쓸 수 있어.
       이건 내 손가락이야.
       그것들은 날카로워.
남아: 날 위해 이 종이를 잘라 줘.

하루 구문 복습

You have ~.
너는 ~을 가지고 있어.

I can ... with my ~.
나는 내 ~로 …할 수 있어.

These are my ~.
이것들은 내 ~야.

일반동사 ~.
~을 해.

38 • 똑똑한 하루 Reading

Let's Check

▶ 정답 5쪽

A 글의 내용과 일치하도록 빈칸에 알맞은 것을 고르세요.

1. The monster has long _____.
   ⓐ teeth   ⓑ toes   ⓒ fingers

2. The monster can _____ with his fingers.
   ⓐ write   ⓑ cut   ⓒ count

B 그림에 알맞은 문장을 연결하세요.

1. ——— You have eight toes.
2. ——— I can write with my teeth.
3. ——— These are my fingers.

Level 1 B • 39

5일 Reading

Let's Practice 집중 연습

▶ 정답 5쪽

A 그림에 알맞은 단어를 연결하세요.

1.   2.   3.

toe   tooth   cut

B 그림에 알맞은 단어를 보기에서 골라 문장을 완성하세요.

보기   count   finger   write

1. These are my **finger**s.

2. I can **write** with my teeth.

C 그림에 알맞은 문장을 완성하세요.

1. You have long teeth.
   너는 이가 길어.

2. Cut this paper for me.
   날 위해 이 종이를 잘라 줘.

D 그림에 맞게 단어나 어구를 바르게 배열하여 문장을 쓰세요.

1. (I / with my toes / count / can)
   I can count with my toes.
   나는 발가락으로 수를 셀 수 있어.

2. (are / These / fingers / my)
   These are my fingers.
   이건 내 손가락이야.

40 • 똑똑한 하루 Reading

Level 1 B • 41

정답 • **5**

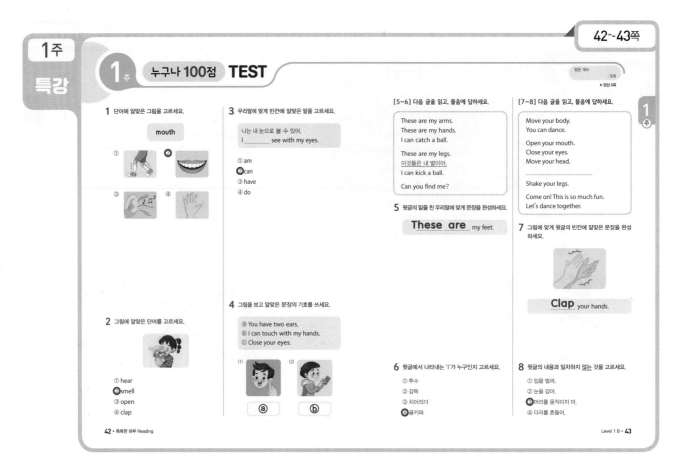

1주 특강

1주 누구나 100점 **TEST**

맞은 개수 /8개
▶ 정답 6쪽

1 단어에 알맞은 그림을 고르세요.

mouth

① ② ③ ④

2 그림에 알맞은 단어를 고르세요.

① hear
②smell
③ open
④ clap

3 우리말에 맞게 빈칸에 알맞은 말을 고르세요.

나는 내 눈으로 볼 수 있어.
I _____ see with my eyes.

① am
②can
③ have
④ do

4 그림을 보고 알맞은 문장의 기호를 쓰세요.

ⓐ You have two ears.
ⓑ I can touch with my hands.
ⓒ Close your eyes.

(1) ⓐ (2) ⓑ

[5~6] 다음 글을 읽고, 물음에 답하세요.

These are my arms.
These are my hands.
I can catch a ball.

These are my legs.
이것들은 내 발이야.
I can kick a ball.
Can you find me?

5 윗글의 밑줄 친 우리말에 맞게 문장을 완성하세요.

These are my feet.

6 윗글에서 나타내는 'I'가 누구인지 고르세요.

① 투수
② 감독
③ 치어리더
④골키퍼

[7~8] 다음 글을 읽고, 물음에 답하세요.

Move your body.
You can dance.

Open your mouth.
Close your eyes.
Move your head.

Shake your legs.

Come on! This is so much fun.
Let's dance together.

7 그림에 맞게 윗글의 빈칸에 알맞은 문장을 완성하세요.

Clap your hands.

8 윗글의 내용과 일치하지 않는 것을 고르세요.

① 입을 벌려.
② 눈을 감아.
③머리를 움직이지 마.
④ 다리를 흔들어.

42 • 똑똑한 하루 Reading

Level 1 B • 43

1주 특강 창의 융합 코딩 ❶ **Brain** Game Zone

정답 6쪽

배운 내용을 떠올리며 말판 놀이를 해 보세요.

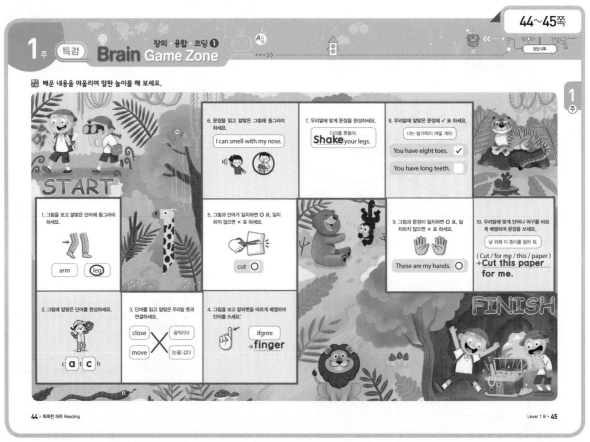

44 • 똑똑한 하루 Reading

Level 1 B • 45

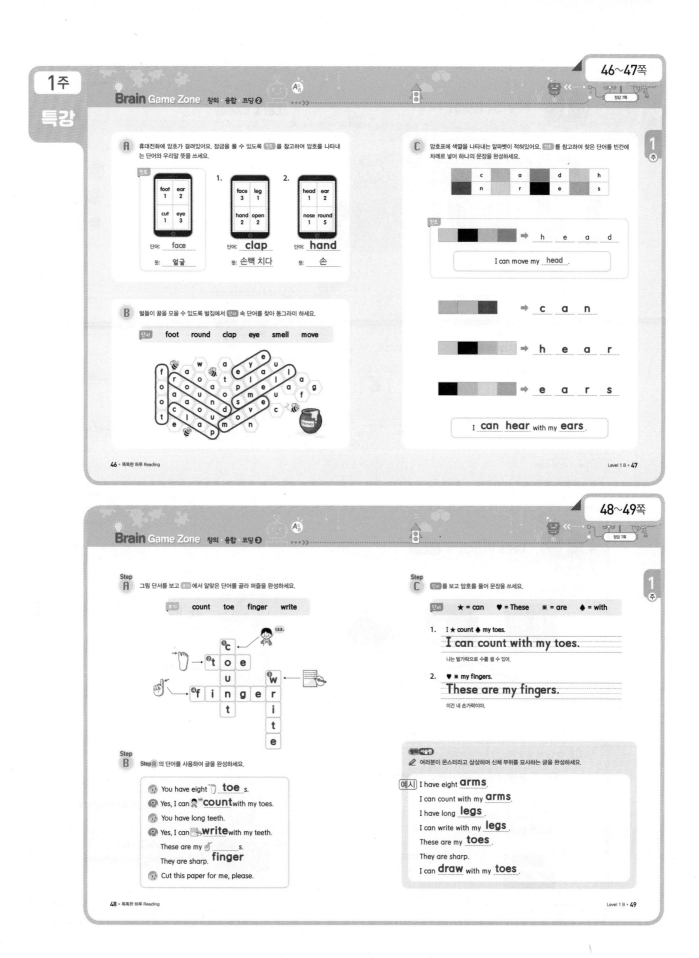

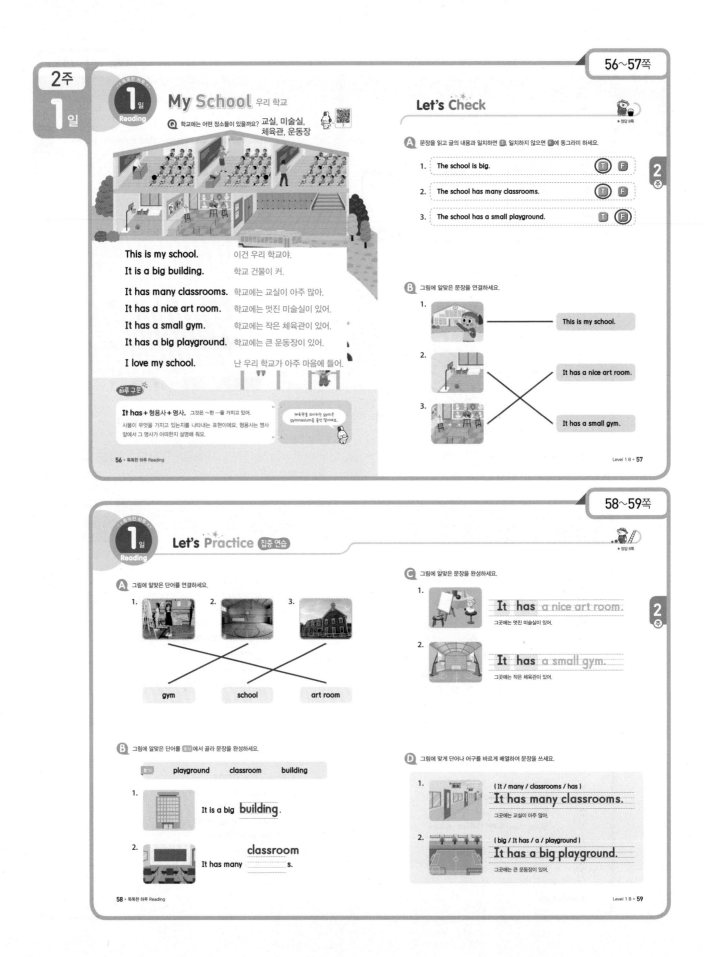

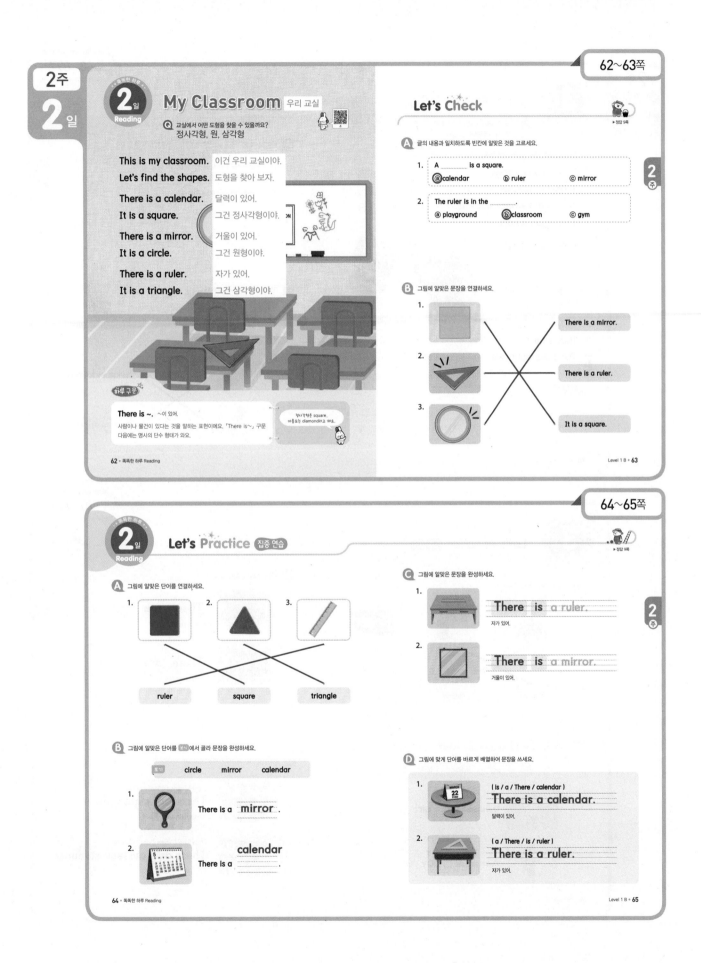

2주 2일

2일 Reading
My Classroom 우리 교실

Q 교실에서 어떤 도형을 찾을 수 있을까요?
정사각형, 원, 삼각형

This is my classroom. 이건 우리 교실이야.
Let's find the shapes. 도형을 찾아 보자.

There is a calendar. 달력이 있어.
It is a square. 그건 정사각형이야.

There is a mirror. 거울이 있어.
It is a circle. 그건 원형이야.

There is a ruler. 자가 있어.
It is a triangle. 그건 삼각형이야.

하루 구문

There is ~. ~이 있어.
사람이나 물건이 있다는 것을 말하는 표현이에요. 「There is~」 구문 다음에는 명사의 단수 형태가 와요.

정사각형은 square, 마름모는 diamond라고 해요.

Let's Check

A 글의 내용과 일치하도록 빈칸에 알맞은 것을 고르세요.

1. A _____ is a square.
   ⓐ calendar   ⓑ ruler   ⓒ mirror

2. The ruler is in the _____.
   ⓐ playground   ⓑ classroom   ⓒ gym

B 그림에 알맞은 문장을 연결하세요.

1. There is a mirror.
2. There is a ruler.
3. It is a square.

62 • 똑똑한 하루 Reading
Level 1 B • 63

2일 Reading
Let's Practice 집중 연습

A 그림에 알맞은 단어를 연결하세요.

1.   2.   3.

ruler   square   triangle

B 그림에 알맞은 단어를 보기에서 골라 문장을 완성하세요.

보기 circle   mirror   calendar

1. There is a **mirror**.

2. There is a **calendar**.

C 그림에 알맞은 문장을 완성하세요.

1. **There is a ruler.**
   자가 있어.

2. **There is a mirror.**
   거울이 있어.

D 그림에 맞게 단어를 바르게 배열하여 문장을 쓰세요.

1. (is / a / There / calendar)
   There is a calendar.
   달력이 있어.

2. (a / There / is / ruler)
   There is a ruler.
   자가 있어.

64 • 똑똑한 하루 Reading
Level 1 B • 65

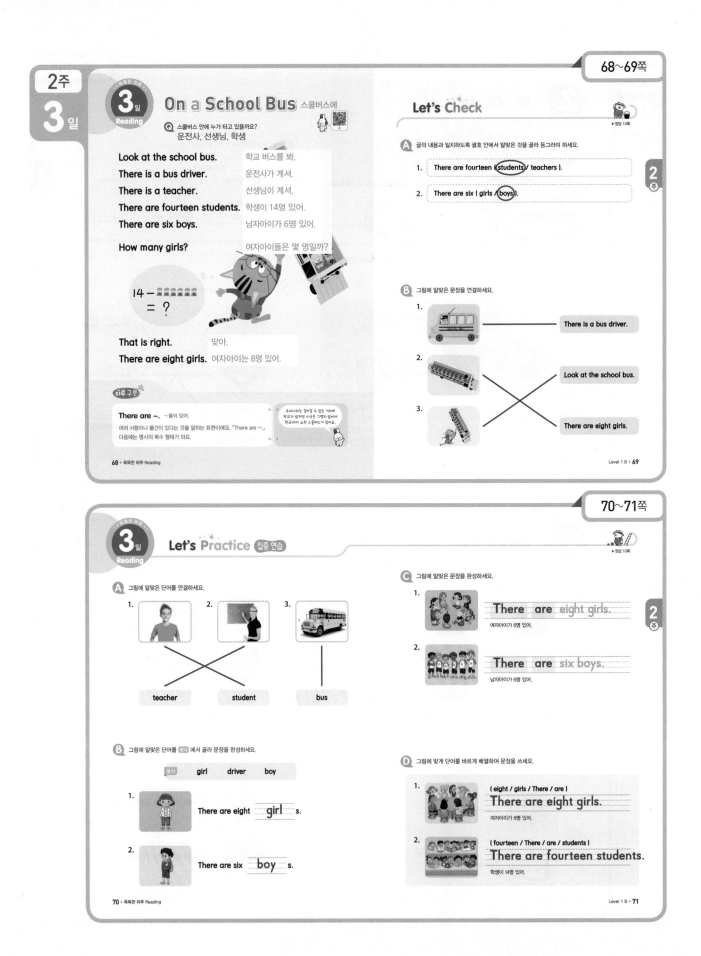

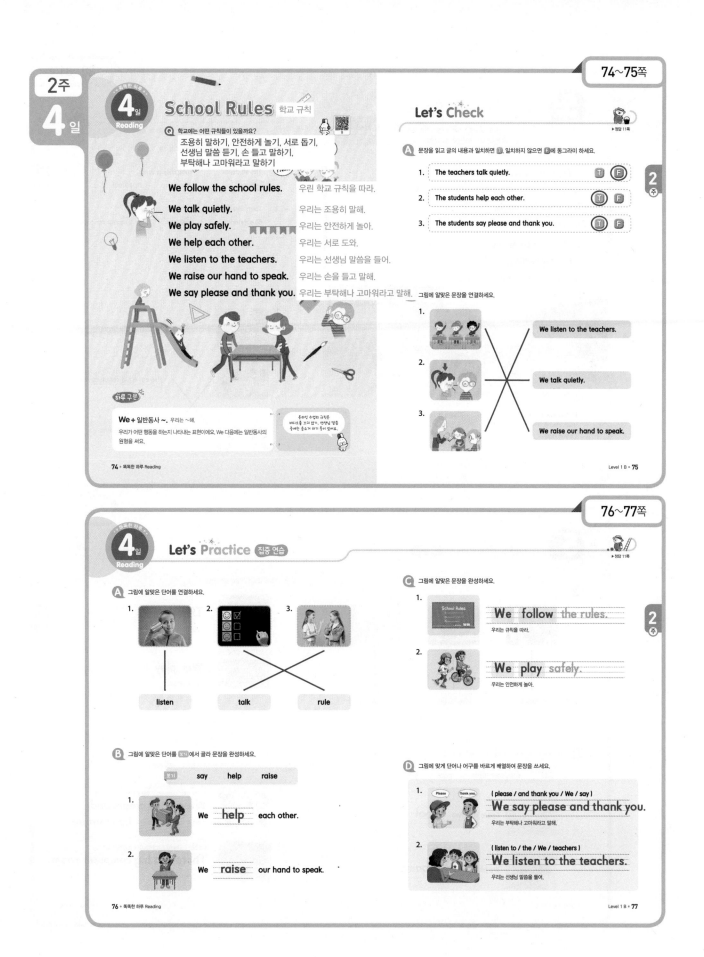

2주 4일

4일 Reading

School Rules 학교 규칙

Q 학교에는 어떤 규칙들이 있을까요?
조용히 말하기, 안전하게 놀기, 서로 돕기,
선생님 말씀 듣기, 손 들고 말하기,
부탁해나 고마워라고 말하기

We follow the school rules. 우린 학교 규칙을 따라.

We talk quietly. 우리는 조용히 말해.

We play safely. 우리는 안전하게 놀아.

We help each other. 우리는 서로 도와.

We listen to the teachers. 우리는 선생님 말씀을 들어.

We raise our hand to speak. 우리는 손을 들고 말해.

We say please and thank you. 우리는 부탁해나 고마워라고 말해.

하루 구문

We + 일반동사 ~. 우리는 ~해.

우리가 어떤 행동을 하는지 나타내는 표현이에요. We 다음에는 일반동사의 원형을 써요.

74 · 똑똑한 하루 Reading

Let's Check

▶ 정답 11쪽

A 문장을 읽고 글의 내용과 일치하면 T, 일치하지 않으면 F에 동그라미 하세요.

1. The teachers talk quietly. ⓣ (F)

2. The students help each other. (T) ⓕ

3. The students say please and thank you. (T) ⓕ

B 그림에 알맞은 문장을 연결하세요.

1. — We listen to the teachers.

2. — We talk quietly.

3. — We raise our hand to speak.

Level 1 B · 75

4일 Reading

Let's Practice 집중 연습

▶ 정답 11쪽

A 그림에 알맞은 단어를 연결하세요.

1. 2. 3.

listen   talk   rule

B 그림에 알맞은 단어를 보기에서 골라 문장을 완성하세요.

보기   say   help   raise

1. We __help__ each other.

2. We __raise__ our hand to speak.

C 그림에 알맞은 문장을 완성하세요.

1. School Rules
We follow the rules.
우리는 규칙을 따라.

2. **We play safely.**
우리는 안전하게 놀아.

D 그림에 맞게 단어나 어구를 바르게 배열하여 문장을 쓰세요.

1. (please / and thank you / We / say)
We say please and thank you.
우리는 부탁해나 고마워라고 말해.

2. (listen to / the / We / teachers)
We listen to the teachers.
우리는 선생님 말씀을 들어.

76 · 똑똑한 하루 Reading

Level 1 B · 77

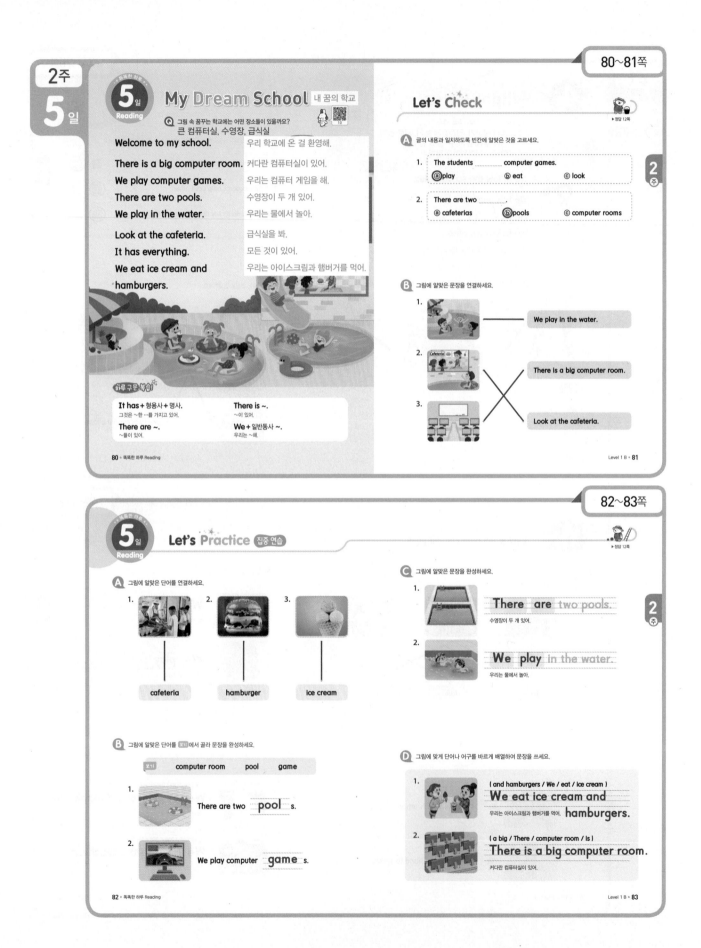

2주

특강

2주 누구나 100점 TEST

맞은 개수 /8개

▶정답 13쪽

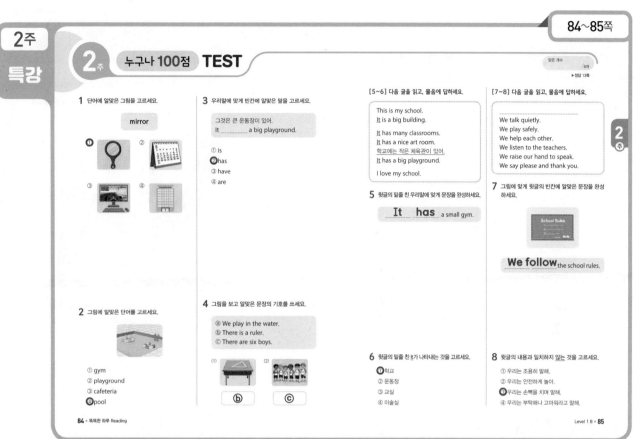

1 단어에 알맞은 그림을 고르세요.

mirror

① ② ③ ④

2 그림에 알맞은 단어를 고르세요.

① gym
② playground
③ cafeteria
④ pool

3 우리말에 맞게 빈칸에 알맞은 말을 고르세요.

그것은 큰 운동장이 있어.
It _____ a big playground.

① is
② has
③ have
④ are

4 그림을 보고 알맞은 문장의 기호를 쓰세요.

ⓐ We play in the water.
ⓑ There is a ruler.
ⓒ There are six boys.

(1) ⓑ   (2) ⓒ

[5~6] 다음 글을 읽고, 물음에 답하세요.

This is my school.
It is a big building.
It has many classrooms.
It has a nice art room.
학교에는 작은 체육관이 있어.
It has a big playground.
I love my school.

5 윗글의 밑줄 친 우리말에 맞게 문장을 완성하세요.

It has a small gym.

6 윗글의 밑줄 친 It가 나타내는 것을 고르세요.

① 학교
② 운동장
③ 교실
④ 미술실

[7~8] 다음 글을 읽고, 물음에 답하세요.

We talk quietly.
We play safely.
We help each other.
We listen to the teachers.
We raise our hand to speak.
We say please and thank you.

7 그림에 맞게 윗글의 빈칸에 알맞은 문장을 완성하세요.

School Rules

We follow the school rules.

8 윗글의 내용과 일치하지 않는 것을 고르세요.

① 우리는 조용히 말해.
② 우리는 안전하게 놀아.
③ 우리는 손뼉을 치며 말해.
④ 우리는 부탁하나 고마워라고 말해.

2주 특강 Brain Game Zone 창의·융합·코딩 ❶

정답 13쪽

배운 내용을 떠올리며 말판 놀이를 해 보세요.

1. 그림을 보고 알맞은 단어에 동그라미 하세요.

square   circle

2. 그림에 알맞은 단어를 완성하세요.

c a l e n d ar

3. 단어를 읽고 알맞은 우리말 뜻과 연결하세요.

talk — 말하다
help — 돕다

4. 그림을 보고 알파벳을 바르게 배열하여 단어를 쓰세요.

rivder → driver

5. 문장을 읽고 알맞은 그림에 동그라미 하세요.

There is a ruler.

6. 그림과 단어가 일치하면 O 표, 일치하지 않으면 × 표 하세요.

student O

7. 우리말에 맞게 문장을 완성하세요.

그것은 멋진 미술실이 있어.
It has a nice art room.

8. 우리말에 알맞은 문장에 ✓ 표 하세요.

여자아이가 8명 있어.

There are eight girls. ✓
There are six boys.

9. 그림과 문장이 일치하면 O 표, 일치하지 않으면 × 표 하세요.

We play safely. ×

10. 우리말에 맞게 단어나 어구를 바르게 배열하여 문장을 쓰세요.

우리는 부탁하나 고마워라고 말해.

(and / thank you / say please / We)
→ We say please and thank you.

FINISH

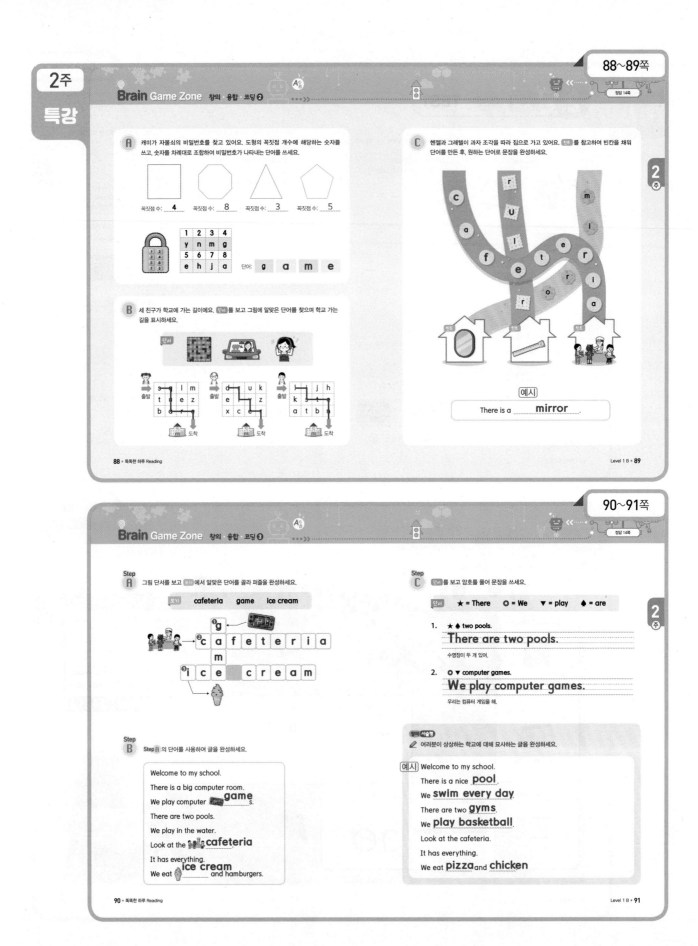

2주
특강

Brain Game Zone 창의·융합·코딩 ②

정답 14쪽

A 캐미가 자물쇠의 비밀번호를 찾고 있어요. 도형의 꼭짓점 개수에 해당하는 숫자를 쓰고, 숫자를 차례대로 조합하여 비밀번호가 나타내는 단어를 쓰세요.

꼭짓점 수: **4** 꼭짓점 수: **8** 꼭짓점 수: **3** 꼭짓점 수: **5**

1	2	3	4
y	n	m	g
5	6	7	8
e	h	j	a

단어: **g a m e**

B 세 친구가 학교에 가는 길이에요. 단서를 보고 그림에 알맞은 단어를 찾으며 학교 가는 길을 표시하세요.

C 헨젤과 그레텔이 과자 조각을 따라 집으로 가고 있어요. 힌트를 참고하여 빈칸을 채워 단어를 만든 후, 원하는 단어로 문장을 완성하세요.

[예시]
There is a **mirror**.

88 • 똑똑한 하루 Reading
Level 1 B • 89

2주

Brain Game Zone 창의·융합·코딩 ③

정답 14쪽

Step **A** 그림 단서를 보고 보기에서 알맞은 단어를 골라 퍼즐을 완성하세요.

보기 cafeteria game ice cream

①**g**
②**c a f e t e r i a**
m
③**i c e c r e a m**

Step **B** Step A 의 단어를 사용하여 글을 완성하세요.

Welcome to my school.
There is a big computer room.
We play computer **game**s.
There are two pools.
We play in the water.
Look at the **cafeteria**.
It has everything.
We eat **ice cream** and hamburgers.

Step **C** 단서를 보고 암호를 풀어 문장을 쓰세요.

단서 ★ = There ◎ = We ▼ = play ♠ = are

1. ★ ♠ two pools.
There are two pools.
수영장이 두 개 있어.

2. ◎ ▼ computer games.
We play computer games.
우리는 컴퓨터 게임을 해.

창의 서술형
여러분이 상상하는 학교에 대해 묘사하는 글을 완성하세요.

[예시] Welcome to my school.
There is a nice **pool**.
We **swim every day**.
There are two **gyms**.
We **play basketball**.
Look at the cafeteria.
It has everything.
We eat **pizza** and **chicken**.

90 • 똑똑한 하루 Reading
Level 1 B • 91

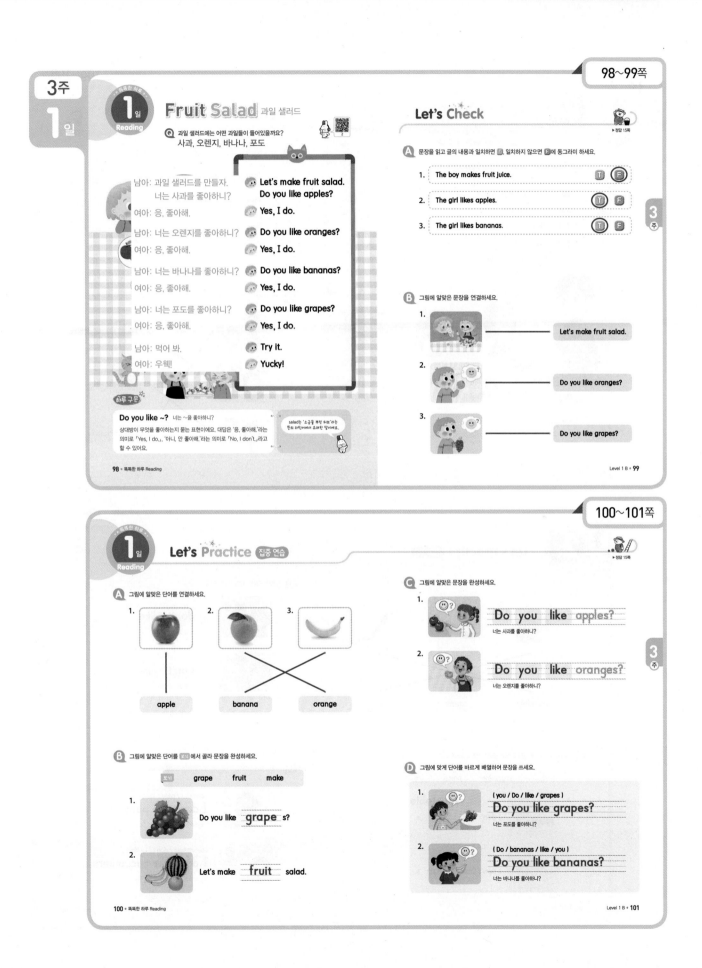

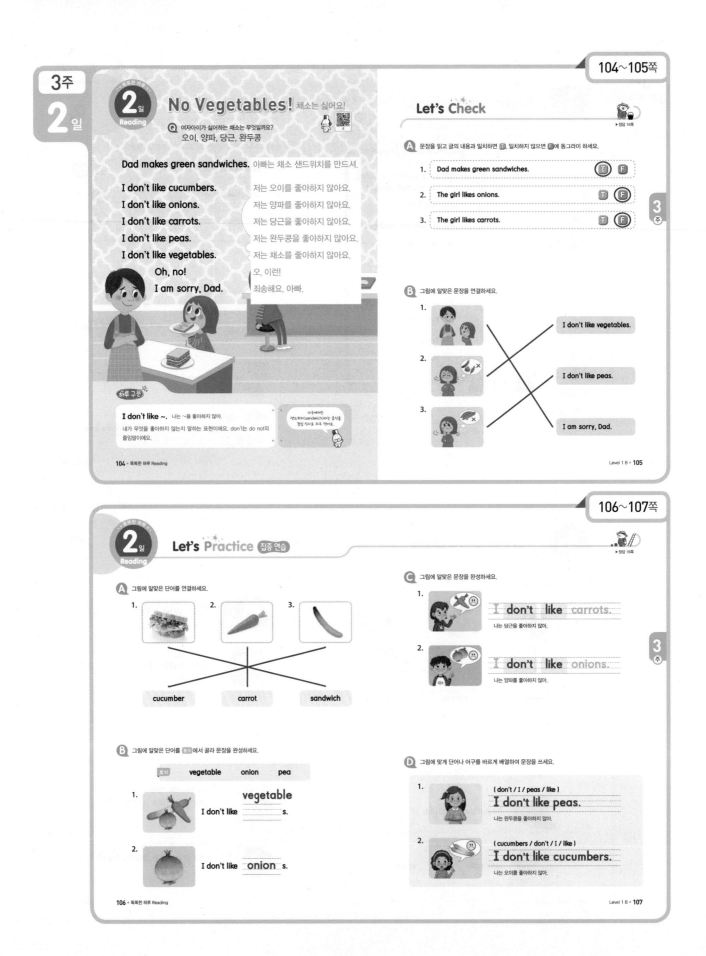

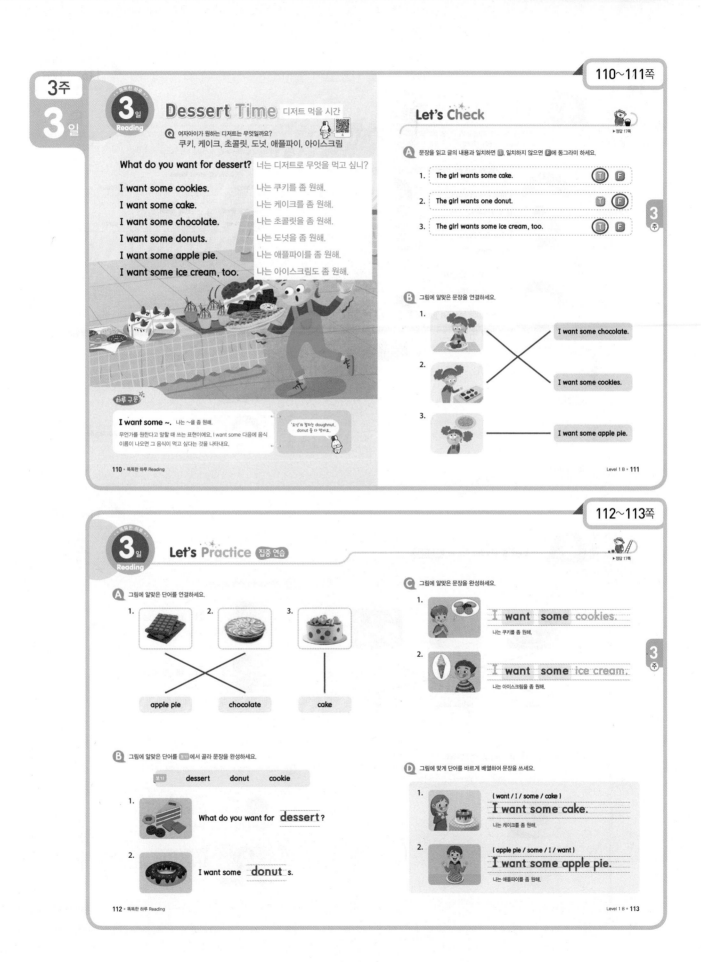

3주 3일 Reading

Dessert Time 디저트 먹을 시간

Q 여자아이가 원하는 디저트는 무엇일까요?
쿠키, 케이크, 초콜릿, 도넛, 애플파이, 아이스크림

What do you want for dessert? 너는 디저트로 무엇을 먹고 싶니?

I want some cookies. 나는 쿠키를 좀 원해.
I want some cake. 나는 케이크를 좀 원해.
I want some chocolate. 나는 초콜릿을 좀 원해.
I want some donuts. 나는 도넛을 좀 원해.
I want some apple pie. 나는 애플파이를 좀 원해.
I want some ice cream, too. 나는 아이스크림도 좀 원해.

하루 구문

I want some ~. 나는 ~을 좀 원해.
무언가를 원한다고 말할 때 쓰는 표현이에요. I want some에 음식 이름이 나오면 그 음식을 먹고 싶다는 것을 나타내요.

'도넛'의 철자는 doughnut, donut 둘 다 맞아요.

110 · 똑똑한 하루 Reading

Let's Check

A 문장을 읽고 글의 내용과 일치하면 T, 일치하지 않으면 F에 동그라미 하세요.

1. The girl wants some cake. Ⓣ F
2. The girl wants one donut. T Ⓕ
3. The girl wants some ice cream, too. Ⓣ F

B 그림에 알맞은 문장을 연결하세요.

1. I want some chocolate.
2. I want some cookies.
3. I want some apple pie.

Level 1 B · 111

3일 Reading

Let's Practice 집중 연습

A 그림에 알맞은 단어를 연결하세요.

1. chocolate
2. apple pie
3. cake

B 그림에 알맞은 단어를 보기에서 골라 문장을 완성하세요.

보기 dessert donut cookie

1. What do you want for **dessert**?

2. I want some **donut**s.

C 그림에 알맞은 문장을 완성하세요.

1. I want some cookies.
   나는 쿠키를 좀 원해.

2. I want some ice cream.
   나는 아이스크림을 좀 원해.

D 그림에 맞게 단어를 바르게 배열하여 문장을 쓰세요.

1. (want / I / some / cake)
   I want some cake.
   나는 케이크를 좀 원해.

2. (apple pie / some / I / want)
   I want some apple pie.
   나는 애플파이를 좀 원해.

112 · 똑똑한 하루 Reading

Level 1 B · 113

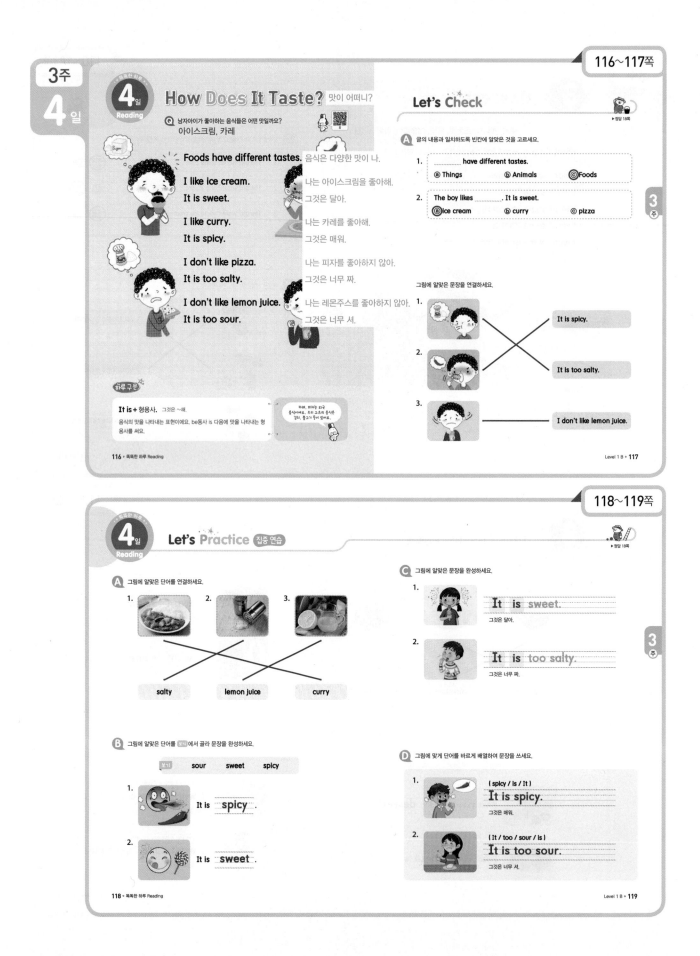

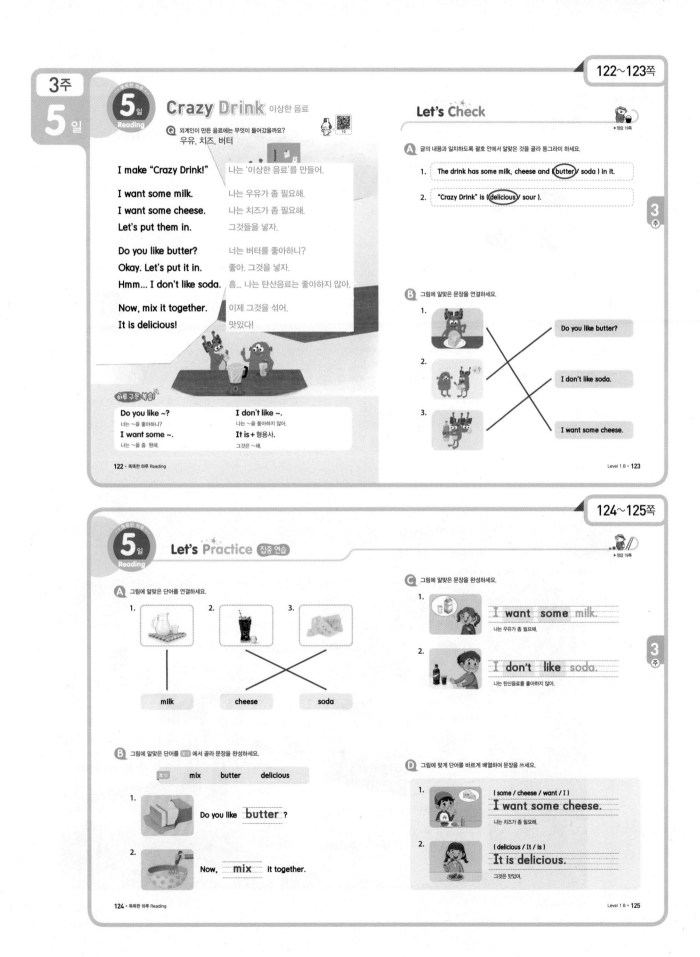

3주

5일
5일
Reading

Crazy Drink 이상한 음료

Q 외계인이 만든 음료에는 무엇이 들어갔을까요?
우유, 치즈, 버터

I make "Crazy Drink!" — 나는 '이상한 음료'를 만들어.

I want some milk. — 나는 우유가 좀 필요해.
I want some cheese. — 나는 치즈가 좀 필요해.
Let's put them in. — 그것들을 넣자.

Do you like butter? — 너는 버터를 좋아하니?
Okay. Let's put it in. — 좋아. 그것을 넣자.
Hmm... I don't like soda. — 흠... 나는 탄산음료는 좋아하지 않아.

Now, mix it together. — 이제 그것을 섞어.
It is delicious! — 맛있다!

하루 구문 복습

Do you like ~?
너는 ~을 좋아하니?

I want some ~.
나는 ~을 좀 원해.

I don't like ~.
나는 ~을 좋아하지 않아.

It is + 형용사.
그것은 ~해.

122 • 똑똑한 하루 Reading

Let's Check

▶정답 19쪽

A 글의 내용과 일치하도록 괄호 안에서 알맞은 것을 골라 동그라미 하세요.

1. The drink has some milk, cheese and ((butter) / soda) in it.

2. "Crazy Drink" is ((delicious) / sour).

B 그림에 알맞은 문장을 연결하세요.

1. — I want some cheese.
2. — Do you like butter?
3. — I don't like soda.

Level 1 B • 123

5일
Reading

Let's Practice 집중 연습

▶정답 19쪽

A 그림에 알맞은 단어를 연결하세요.

1. — cheese
2. — soda
3. — milk

B 그림에 알맞은 단어를 보기 에서 골라 문장을 완성하세요.

보기   mix   butter   delicious

1. Do you like butter ?

2. Now, mix it together.

C 그림에 알맞은 문장을 완성하세요.

1. I want some milk.
나는 우유가 좀 필요해.

2. I don't like soda.
나는 탄산음료를 좋아하지 않아.

D 그림에 맞게 단어를 바르게 배열하여 문장을 쓰세요.

1. (some / cheese / want / I)
I want some cheese.
나는 치즈가 좀 필요해.

2. (delicious / It / is)
It is delicious.
그것은 맛있어.

124 • 똑똑한 하루 Reading

Level 1 B • 125

똑똑한 하루
Reading

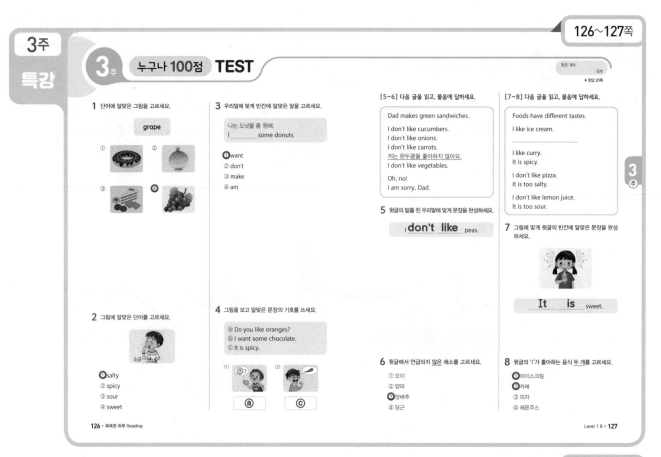

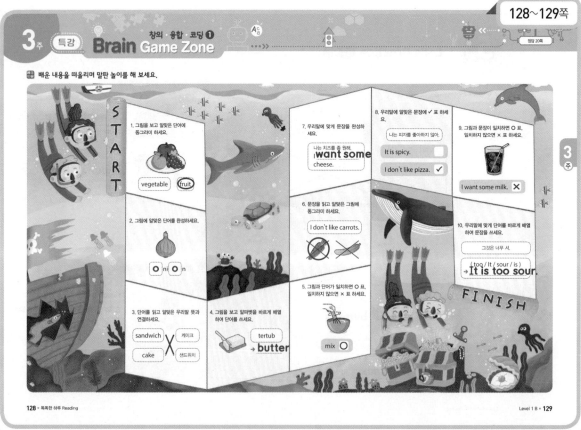

3주 특강

Brain Game Zone 창의·융합·코딩 ❷

정답 21쪽

Ⓐ 사탕기계에서 기계와 같은 색의 사탕을 뽑아야 먹을 수 있어요. 기계에서 뽑은 사탕에 적힌 알파벳을 조합하여 단어를 완성하세요.

m **i l k**   c a r **r** o t   c **a k e**

Ⓑ 도서관 책장에 있던 책 몇 권이 사라졌어요. 단서 를 보고 사라진 책의 개수를 참고하여, 빈칸에 들어갈 알맞은 알파벳을 쓰세요.

단서
s - 3권   r - 3권   c - 2권

de **s s e r** t   **s** andwi **c** h   **c** urr **y**

Ⓒ 엄마의 심부름으로 마트에 가는 길에 쇼핑 목록 일부가 지워졌어요. 마트의 물건 가격을 참고하여 쇼핑 목록에 해당하는 단어로 문장을 완성하세요.

MARKET

cheese 2,500원   apple pie 5,000원   chocolate 3,000원

1. ch___   2,500원   I want some **cheese**.

2. appl___   5,000원   I want some **apple pie**.

3. ___late   3,000원   I want some **chocolate**.

130 • 똑똑한 하루 Reading   Level 1 B • 131

Brain Game Zone 창의·융합·코딩 ❸

정답 21쪽

Step Ⓐ 그림 단서를 보고 보기 에서 알맞은 단어를 골라 퍼즐을 완성하세요.

보기   soda   cheese   milk   delicious

¹**c**
h   ²**m**   ³**s**
⁴**d e l i c i o u s**
e   **i**   **o**
e   **l**   **d**
s   **k**   **a**
e

Step Ⓑ Step Ⓐ 의 단어를 사용하여 글을 완성하세요.

I make "Crazy Drink!"
I want some 🥛 **milk**.
I want some 🧀 **cheese**.
Let's put them in.

Do you like butter?
Okay. Let's put it in.
Hmm... I don't like 🥤 **soda**.
Now, mix it together.
It is **delicious**!

Step Ⓒ 단서 를 보고 암호를 풀어 문장을 쓰세요.

단서   ★ = Do   ♥ = like   ✳ = you   ♠ = don't

1. ★ ✳ ♥ butter?
Do you like butter?
너는 버터를 좋아하니?

2. I ♠ ♥ soda.
I don't like soda.
나는 탄산음료를 좋아하지 않아.

창의 서술형 여러분만의 특별한 음료를 설명하는 글을 완성하세요.

예시 I make "Crazy Drink!"
I want some **grapes**
I want some **lemons**
Let's put them in.

Do you like **soda**?
Okay. Let's put it in.
Hmm... I don't like **milk**.
Now, mix it together.
It is **yummy**!

132 • 똑똑한 하루 Reading   Level 1 B • 133

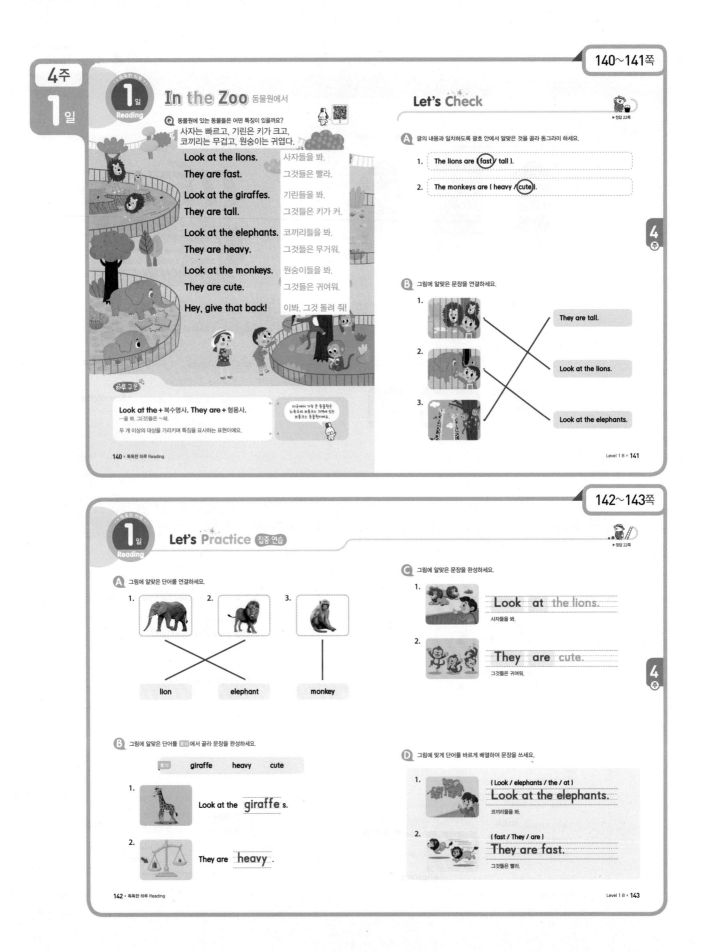

4주
1일
Reading

1일 In the Zoo 동물원에서
Reading

동물원에 있는 동물들은 어떤 특징이 있을까요?
사자는 빠르고, 기린은 키가 크고,
코끼리는 무겁고, 원숭이는 귀엽다.

Look at the lions.　사자들을 봐.
They are fast.　그것들은 빨라.

Look at the giraffes.　기린들을 봐.
They are tall.　그것들은 키가 커.

Look at the elephants.　코끼리들을 봐.
They are heavy.　그것들은 무거워.

Look at the monkeys.　원숭이들을 봐.
They are cute.　그것들은 귀여워.

Hey, give that back!　이봐, 그것 돌려 줘!

하루 구문

Look at the + 복수명사. They are + 형용사.
…을 봐, 그(것)들은 ~해.
두 개 이상의 대상을 가리키며 특징을 묘사하는 표현이에요.

미국에서 가장 큰 동물원은
뉴욕주의 브롱크스 지역에 있는
브롱크스 동물원이에요.

140 • 똑똑한 하루 Reading

Let's Check

A 글의 내용과 일치하도록 괄호 안에서 알맞은 것을 골라 동그라미 하세요.

1. The lions are (fast / tall).

2. The monkeys are (heavy / cute).

B 그림에 알맞은 문장을 연결하세요.

1. • They are tall.

2. • Look at the lions.

3. • Look at the elephants.

Level 1 B • 141

1일 Let's Practice 집중 연습
Reading

A 그림에 알맞은 단어를 연결하세요.

1. 2. 3.

lion　elephant　monkey

B 그림에 알맞은 단어를 보기 에서 골라 문장을 완성하세요.

보기　giraffe　heavy　cute

1. Look at the giraffe s.

2. They are heavy .

C 그림에 알맞은 문장을 완성하세요.

1. Look at the lions.
사자들을 봐.

2. They are cute.
그것들은 귀여워.

D 그림에 맞게 단어를 바르게 배열하여 문장을 쓰세요.

1. (Look / elephants / the / at)
Look at the elephants.
코끼리들을 봐.

2. (fast / They / are)
They are fast.
그것들은 빨라.

142 • 똑똑한 하루 Reading

Level 1 B • 143

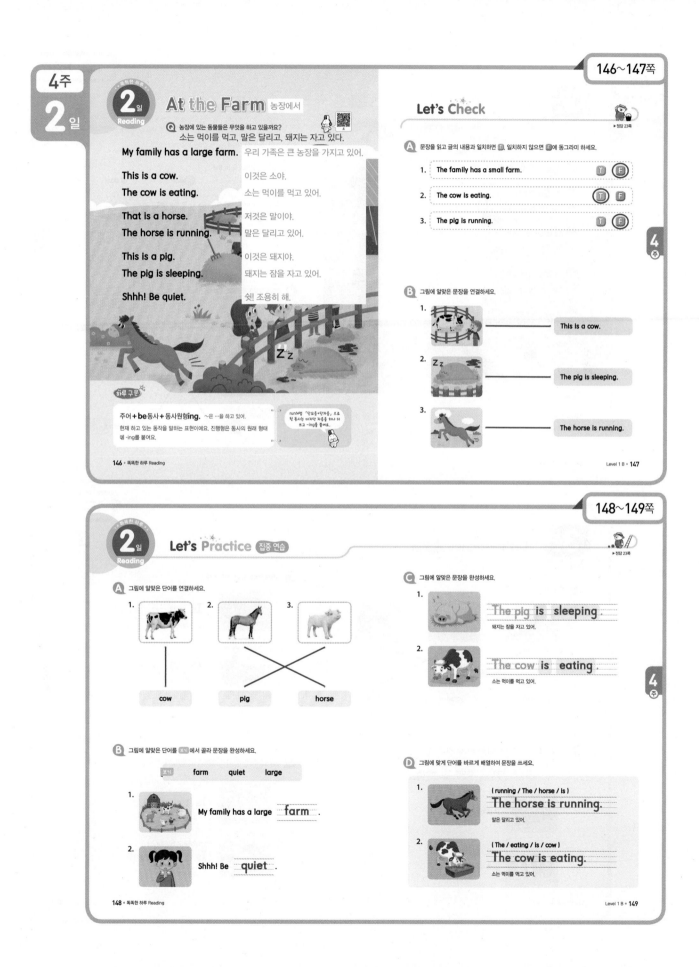

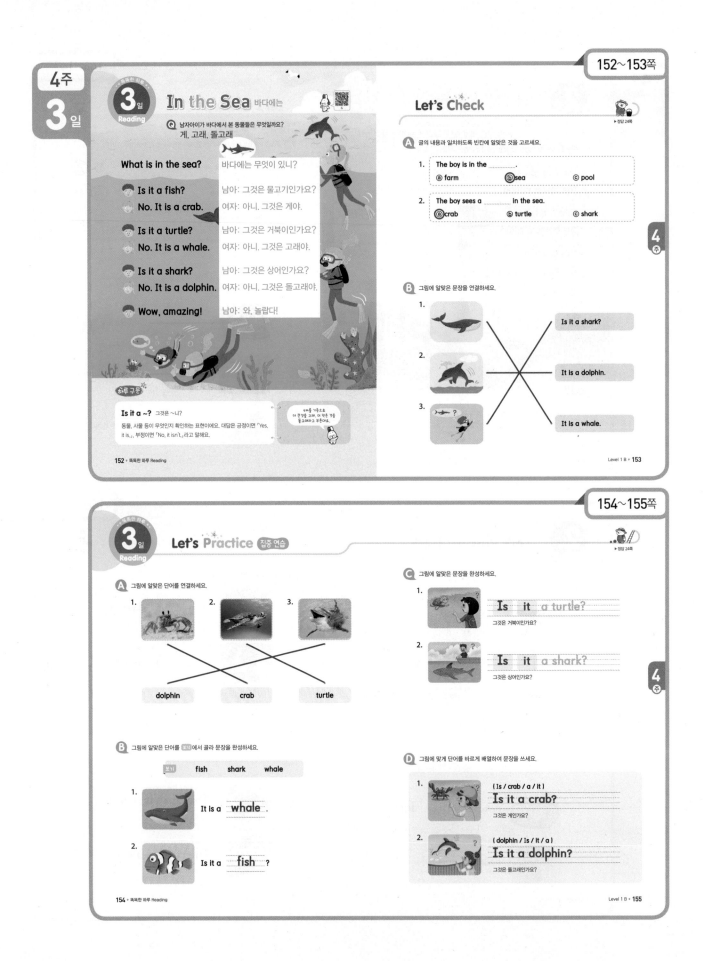

4주 4일 Reading

펭귄은 날지 못해
Penguins Can't Fly

Q 각 동물이 할 수 없는 것은 무엇일까요?

새는 수영을 못하고, 벌은 점프를 못하고,
개구리는 달리지 못하고, 펭귄은 날지 못한다.

Birds can't swim. 새는 수영을 못해.
But they can fly. 하지만 그들은 날 수 있어.

Bees can't jump. 벌은 점프를 못해.
But they can make honey. 하지만 그들은 꿀을 만들 수 있어.

Frogs can't run. 개구리는 달리지 못해.
But they can jump. 하지만 그들은 점프할 수 있어.

Penguins can't fly. 펭귄은 날지 못해.
But they can swim. 하지만 그들은 수영할 수 있어.

하루 구문

주어 + can/can't ~. …은 ~할 수 있어/없어.
할 수 있는 것과 할 수 없는 것을 말하는 표현이에요. can't는 cannot의 줄임말로 할 수 없는 것을 나타내요.
can과 can't 다음에는 동사의 원형을 써요.

158 • 똑똑한 하루 Reading

158~159쪽

Let's Check

▶정답 25쪽

A 문장을 읽고 글의 내용과 일치하면 T, 일치하지 않으면 F에 동그라미 하세요.

1. Birds can't swim. (T) F
2. Frogs can't jump. T (F)
3. Penguins can't fly. (T) F

그림에 알맞은 문장을 연결하세요.

1. — They can make honey.
2. — They can swim.
3. — Frogs can't run.

Level 1 B • 159

160~161쪽

4일 Reading Let's Practice 집중 연습

▶정답 25쪽

A 그림에 알맞은 단어를 연결하세요.

1. 2. 3.

frog   bee   penguin

B 그림에 알맞은 단어를 보기에서 골라 문장을 완성하세요.

보기 bird fly honey

1. They can make __honey__.

2. They can __fly__.

160 • 똑똑한 하루 Reading

C 그림에 알맞은 문장을 완성하세요.

1. Penguins can't fly .
펭귄은 날지 못해.

2. Frogs can jump .
개구리는 점프할 수 있어.

D 그림에 맞게 단어나 어구를 바르게 배열하여 문장을 쓰세요.

1. (swim / Birds / can't)
Birds can't swim.
새는 수영을 못해.

2. (Bees / make / can / honey)
Bees can make honey.
벌은 꿀을 만들 수 있어.

Level 1 B • 161

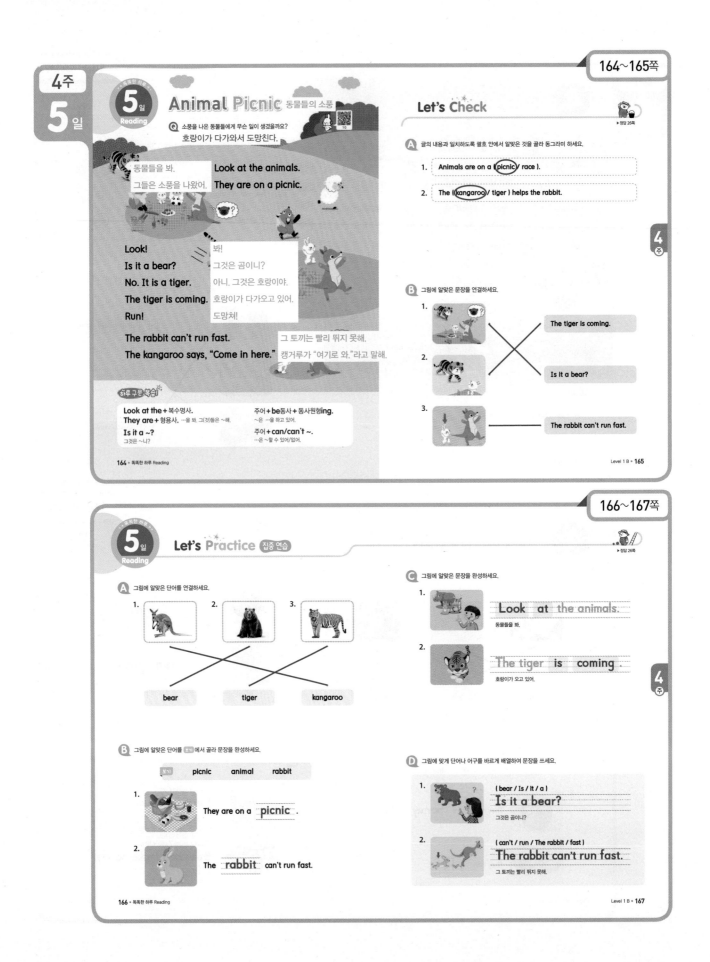

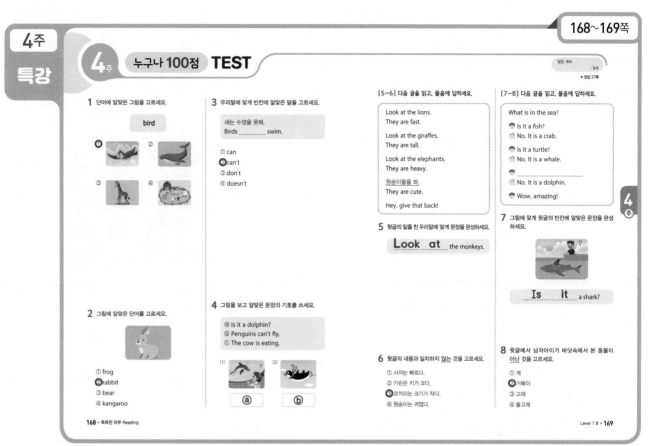

4주 특강

4주 누구나 100점 TEST

맞은 개수 /8개
▶ 정답 27쪽

1 단어에 알맞은 그림을 고르세요.

bird

① ② ③ ④

2 그림에 알맞은 단어를 고르세요.

① frog
② rabbit
③ bear
④ kangaroo

3 우리말에 맞게 빈칸에 알맞은 말을 고르세요.

새는 수영을 못해.
Birds _____ swim.

① can
② can't
③ don't
④ doesn't

4 그림을 보고 알맞은 문장의 기호를 쓰세요.

ⓐ Is it a dolphin?
ⓑ Penguins can't fly.
ⓒ The cow is eating.

(1) ⓐ (2) ⓑ

[5~6] 다음 글을 읽고, 물음에 답하세요.

Look at the lions.
They are fast.

Look at the giraffes.
They are tall.

Look at the elephants.
They are heavy.

원숭이들을 봐.
They are cute.

Hey, give that back!

5 윗글의 밑줄 친 우리말에 맞게 문장을 완성하세요.

Look at the monkeys.

6 윗글의 내용과 일치하지 않는 것을 고르세요.

① 사자는 빠르다.
② 기린은 키가 크다.
③ 코끼리는 크기가 작다.
④ 원숭이는 귀엽다.

[7~8] 다음 글을 읽고, 물음에 답하세요.

What is in the sea?

Is it a fish?
No. It is a crab.

Is it a turtle?
No. It is a whale.

_____
No. It is a dolphin.

Wow, amazing!

7 그림에 맞게 윗글의 빈칸에 알맞은 문장을 완성하세요.

Is it a shark?

8 윗글에서 남자아이가 바닷속에서 본 동물이 아닌 것을 고르세요.

① 게
② 거북이
③ 고래
④ 돌고래

168 • 똑똑한 하루 Reading
Level 1 B • 169

4주 특강 창의·융합·코딩❶ Brain Game Zone

정답 27쪽

배운 내용을 떠올리며 말판 놀이를 해 보세요.

170 • 똑똑한 하루 Reading
Level 1 B • 171

정답 • **27**

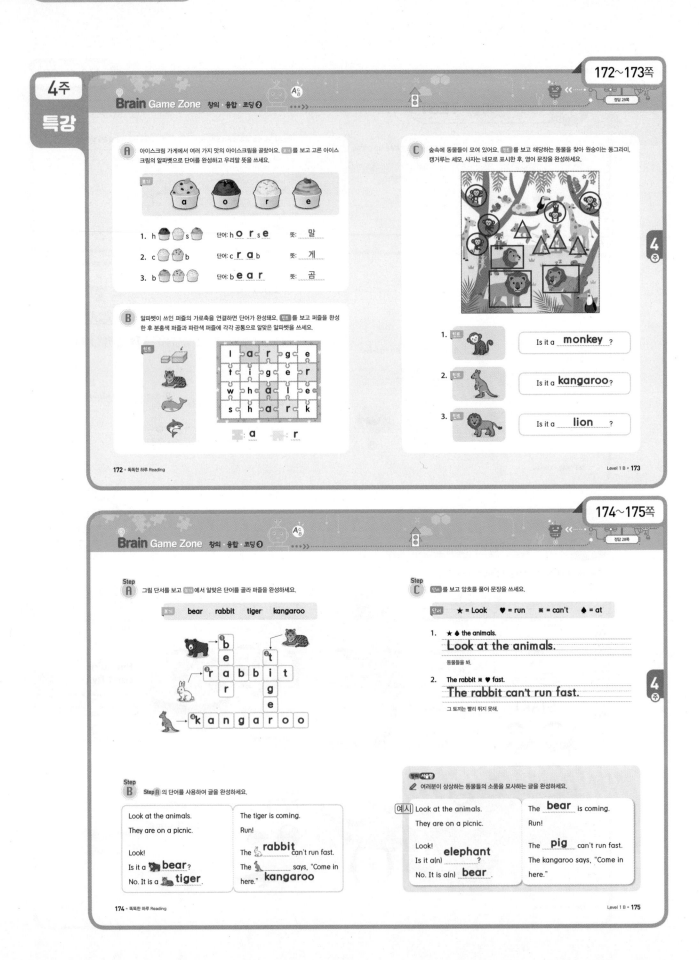